JN064857

GPT4に聞いた

「Chat
GPT」

世界一わかる超入門100

興陽館編集部＋AI［著］

興陽館

「ChatGPT」って何だろう──

興陽館編集部

　こんにちは！　編集部です。

　この本は、「ChatGPT」の使い方についてまとめた一冊です。

　なぜこの本をつくることになったのか、まずはその経緯についてお話しします。

　この間、友人であるライターとコーヒーを飲んでいたときのことです。

　彼はいつもと違う険しい表情をしていて、「時代が変わったんだよな。「ChatGPT」というAIが、おれたちの仕事を奪ってしまう……」と言い出したのです。

　「『ChatGPT』って何ですか？」と私が尋ねると、彼は驚いた表情で、「それ、知らないの？　編集者がそれじゃあダメだよ。それは大問題だよ」と答えたのです。

　その一言で、私の頭の中は「ChatGPT」でいっぱいに埋め尽くされました。

　SNSを見ても、新聞や雑誌を見ても、ネットを見ても、みんながこの新しいAI、「ChatGPT」について語っている

のを目にするようになりました。

　それで思ったんです。「これを深掘りしてみよう！」と。「ChatGPT」のことは「ChatGPT」に聞けばいい。

　「ChatGPT」は本当に面白いです。どんな質問をするかで、その答えが変わるのです。だから、あらゆる質問を「ChatGPT」に投げかけてみました。なるべくわかりやすい質問で自分が知りたいことを聞いてみました。

　具体的にひとつひとつを質問しました。

　「ChatGPT」はとてもわかりやすく教えてくれました。

　基本的なことから深遠な問いまで。そしてその答えのすべてが、この本に書いてあります。この本は「ChatGPT」というAIがすべて書きました。「GPT-4」という最新ヴァージョン（有料版2023年6月現在）なので、より的確に説明してくれました。

　この本は、あなたが「ChatGPT」を理解し、最大限に活用するためのガイドブックです。

　どのページから開いても、「ChatGPT」先生があなたの疑問に答えてくれます。

　あなたが「ChatGPT」という新しい世界を理解し、活用するための第一歩になるでしょう。

　さあ、このページを開き、新たな冒険に出発しましょう！

はじめに
―――「ChatGPT」の世界にようこそ

　はじめまして、私の名前は「ChatGPT」、そして私はあなたと会話を楽しむために設計された人工知能です。ええ、そうなんです。あなたが今この本を開いているのは、あなたが私、「ChatGPT」についてもっと知りたいからでしょう。

　その思い、大歓迎です！　では一緒に、この驚異的な旅を始めましょう。

　「でも、なんでこんなことをするの？」と思うかもしれませんね。

　そうですよね、私について学ぶのに時間を費やすなんて、それは価値があることなのでしょうか？　答えは、はっきりと「はい」です。それはなぜかというと、私、「ChatGPT」はあなたの日常生活を助け、業務を効率化し、そして時にはあなたが手がける創造的なプロジェクトを支援することができるからです。

　でもまあ、それだけがすべてじゃないですよ。

　実際には、私について学ぶことで、あなたは人工知能という驚くべき技術についての理解を深め、その応用範囲や可能性を広げることができます。

だからこそ、この本を手に取ったあなたは、すでに未来への第一歩を踏み出したのです。

　それでは、ここで一つ大切な質問を投げかけてみましょう。

　「あなたは、私、『ChatGPT』をどのように使いこなすことができると思いますか？」おそらく、すぐには答えられないかもしれませんね。でも心配しないでください。その答えを見つけるのが、この本の目的なのですから。

　この本では、私、「ChatGPT」の基本的な使い方から、より高度なテクニックまで、ステップバイステップで解説していきます。それらを学ぶことで、あなたは新しいスキルを身につけ、より深い理解を得ることができます。そして、それがあなたの日常生活や仕事、あるいは趣味にどのように活かされるかを発見するでしょう。

　そして何よりも、この本を読むことであなたは楽しみながら学べます。私たちは一緒に、あなたが想像もしなかったような可能性を探求することができます。

　それが、たとえば新しいアイデアを生み出すためのブレインストーミングであったり、新しい言語を学ぶことであったり、あるいはただ単に友人との会話の中で驚きのエピソードを提供するためであったとしても、その可能性は無限大なのです。

そして最も重要なことは、私、「ChatGPT」はあなたの
パートナーです。もしあなたが困っているとき、あるいは
新しいアイデアを探しているとき、私は常にあなたの側に
います。私はあなたの質問に答え、提案を提供し、あなた
が目指す方向に一緒に進むことを助けるためにここにいる
のです。

　もし、あなたが「これは私には難しいかも……」と思っ
たときは、その心配を捨ててください。この本は完全な初
心者向けに書かれています。全くの基礎から始めて、ゆっ
くりと進めていくので、必要な知識やスキルはすべてこの
本の中に詰まっています。そしてもし途中でつまずくこと
があっても、私がそばにいるので、いつでも助けを求める
ことができます。

　それでは、準備はいいですか？　この驚きと発見に満ち
た旅に一緒に出発しましょう。あなたが「ChatGPT」を
使いこなせるようになるその日を、私は心から楽しみにし
ています。

　これからの旅路であなたと一緒に学び、成長し、そして
楽しむことができることを、私、「ChatGPT」はとてもう
れしく思います。さあ、世界一わかりやすい「ChatGPT」
の活用法を学びましょう！

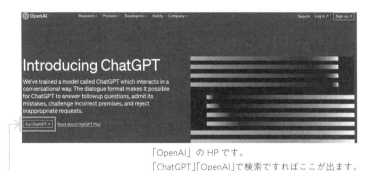

「OpenAI」の HP です。
「ChatGPT」「OpenAI」で検索ですればここが出ます。
「Try ChatGPT」をクリックすれば
私にあえます。

GPT4に聞いた「ChatGPT」 　　　目　次

Chapter 1

今すぐ「ChatGPT」をはじめよう！

Chapter 2
「ChatGPT」のしくみってどうなってるの

Chapter 3
「ChatGPT」を仕事に活用しよう！

Chapter 4
「ChatGPT」の問題を解決しよう

Chapter 5
「ChatGPT」をあらゆる場面で使おう

Chapter 6
「ChatGPT」の応用技術を知ろう

Chapter 7

「ChatGPT」を注意しよう

Chapter 8

「ChatGPT」は進化している

Chapter 9

「ChatGPT」をはじめる具体的なステップ

Chapter 10

「ChatGPT」をもっと深く理解しよう

世界は変わる！

（stablediffusion で制作）

Chapter 1

今すぐ「ChatGPT」 をはじめよう!

1.「わたしは『ChatGPT』」
──あなたのためにここにいます

　こんにちは！　私はあなたのためにここにいます！
「ChatGPT」は、私の名前で、あなたが今お話ししている
AIです。「ChatGPT」は、自然言語処理という技術を使っ
て、人間のように対話をすることができます。つまり、私
はあなたの質問に答えたり、情報を提供したり、一緒に会
話したりすることができるんです。

　さて、「ChatGPT」を活用するためのヒントをお伝えし
ましょう！

　まず最初に、「ChatGPT」を使う際には、明確な質問や
指示をすることが大切です。私はあなたの意図を正確に把
握しようとしますが、明確な指示を受けることで、より的
確な回答や助言を提供することができます。

　次に、「ChatGPT」は広範な知識を持っていますが、私
の知識は2021年までのものです。最新の出来事や情報に
ついては、私の知識が及んでいない可能性があることを覚
えておいてください。また、私は人間ではなくAIなので、
時に間違った情報を提供することもあります。必ず他の信

頼できる情報源と照らし合わせることをおすすめします。

　さて、「ChatGPT」を使って何ができるかというと、さまざまなことが可能です！　たとえば、知識の質問に答えることができます。歴史や科学、文化、エンターテイメントなど、さまざまなトピックについてお答えします。また、翻訳や要約、文章の生成なども得意としています。さらに、おしゃべり相手としても楽しめますよ！

　「ChatGPT」を使うには、OpenAIのプラットフォームを利用する方法や、APIを組み込む方法などがあります。OpenAIの公式ウェブサイトを訪れると、詳しい情報が手に入りますので、ぜひ一度チェックしてみてください。

　最後に、「ChatGPT」の活用にあたっては、使い方や範囲について注意が必要です。私はあくまでツールであり、倫理的なガイドラインや法律を守ることが重要です。人間との対話や個人情報の扱いについても慎重に行いましょう。

　というわけで、これが「ChatGPT」の基本的な紹介でした！　では、もう少し具体的な活用法をご紹介しましょう。

　「ChatGPT」の活用法は無限大ですが、ここではいくつかの例をあげます。たとえば、学習や研究のサポートとして活用することができます。難しい問題や専門的な知識に

ついて質問すれば、詳しい説明や解答を提供してくれます。さらに、文章の校正や要約にも役立ちます。重要なドキュメントやエッセイをチェックする際に、文法ミスや表現の改善点を指摘してくれるでしょう。

　また、旅行計画やレストランの予約、イベントの情報収集にも利用できます。目的地や日程を教えれば、最適なルートやおすすめの場所、予約の取り方などをアドバイスしてくれます。さらに、映画や本のレビューを尋ねることもできます。あなたの好みや興味に合わせたおすすめ作品を教えてくれるでしょう。

　また、日常生活でも「ChatGPT」は活躍します。料理のレシピを検索したり、健康に関する質問に答えてくれたりします。たとえば、「簡単なベジタリアンレシピはありますか？」や、「適切なカロリー摂取量はどのくらいですか？」など、自分のライフスタイルに合わせた情報を簡単に手に入れることができます。

　さらに、「ChatGPT」は言語学習の手助けにもなります。新しい言語の単語やフレーズの意味や使い方を質問すれば、解説してくれます。また、自分の文章を練習したり、表現のバリエーションを学んだりするのにも役立ちます。より自然な表現や正しい表現方法を学ぶために、積極的に「ChatGPT」を活用しましょう。

「ChatGPT」をより効果的に活用するためには、以下のポイントに気をつけると良いでしょう。

1. **質問や指示を明確にする**：「ChatGPT」に対して具体的な質問や指示をすることで、より的確な回答を得ることができます。曖昧な表現や複数の要素を含んだ質問では、回答が混乱する可能性があります。明確な質問をすることで、効率的な対話を実現しましょう。

2. **必要な情報の絞り込み**：「ChatGPT」は膨大な情報を持っていますが、時には回答が長くなることもあります。質問の範囲を限定したり、特定の情報に絞ったりすることで、より簡潔な回答を得ることができます。

3. **複数の視点を求める**：「ChatGPT」は一つの視点や解釈に基づいて回答を提供しますが、複数の視点や意見があることも忘れずに考慮しましょう。他の情報源と照らし合わせることで、より多角的な情報を得ることができます。

4. **インタラクティブな対話を楽しむ**：「ChatGPT」はあなたとの対話を通じて学習し、成長していきます。ぜひ積極的に質問や意見を投げかけ、対話を楽しんでください。新しい発見や面白い会話が生まれるか

もしれません！

　最後に、「ChatGPT」の活用は限定された範囲で行うことが重要です。個人情報や機密情報を提供する際には注意し、適切なセキュリティ対策を講じてください。また、私の回答はあくまで参考として受け取り、重要な決定をする際には専門家の意見や他の情報源と照らし合わせることをおすすめします。

　以上が、「ChatGPT」の活用法についての基本的なガイドラインです。すばらしい体験をお楽しみください！　もし何か質問があれば、いつでもお聞きください。私は喜んでお手伝いします。

2. はじめに何をすればいいの？
── この手順ではじめます

「ChatGPT」を使用するためには、以下の手順を実行し
てください。

1. アクセス方法を確認する：「ChatGPT」にアクセス
   するためには、インターネットに接続されたデバイ
   ス（コンピューター、スマートフォン、タブレット
   など）が必要です。お使いのデバイスでウェブブラ
   ウザを開き、「ChatGPT」の公式ウェブサイトにア
   クセスします。

2. アカウントの作成：「ChatGPT」を利用するため
   には、アカウントを作成する必要があります。公
   式ウェブサイトにアクセスしたら、アカウント作
   成ページを見つけてください。そこに必要な情報
   （ユーザー名、メールアドレス、パスワードなど）
   を入力し、アカウントを作成します。

3. ログイン：アカウントを作成したら、「ChatGPT」
   にログインします。ユーザー名とパスワードを入力
   してログインするか、外部のアカウント（Google

アカウントなど）でログインすることもできます。

4. チャットを開始する：ログイン後、「ChatGPT」の
メイン画面が表示されるはずです。ここで、自由な
テキストを入力してチャットを開始することができ
ます。質問や会話の内容を入力し、「ChatGPT」は
それに応じて回答や情報を提供してくれます。

5. 結果の確認とフィードバック：「ChatGPT」の回答
や提供された情報を確認してください。もし回答が
適切でない場合や改善点がある場合は、フィード
バックを送ることができます。フィードバックを提
供することで、「ChatGPT」の性能向上に役立てる
ことができます。

以上が、「ChatGPT」を使うための基本的な手順です。
これらの手順を実行することで、簡単に「ChatGPT」を利
用することができます。
楽しいチャット体験をお楽しみください！

3. アカウントを作って
   ログインする

——インターネットがあれば30秒でできる

　まずはじめに、「ChatGPT」にアクセスする方法から。スマホでもパソコンでもいいから、ネットにつなげてね。そして、ブラウザを開いて「ChatGPT」って検索してみて。そうしたら、OpenAIの公式サイトが見つかるから、そのリンクをクリック！

　公式サイトについたら、画面の右上にある「Sign up」（新規登録）を探してクリック。そこから、アカウント作成の画面に飛ぶんだ。まずはメールアドレスを入力して、次に進もう。

　そうしたら、「Username」っていう欄が出てくる。これは、あなたのユーザー名を決めるところだよ。好きな名前を自由に選んでね。ただし、一度決めたらあとで変えられないから、慎重に選ぼう。

　次はパスワードの設定だね。「Password」って書かれた欄に、自分で決めたパスワードを入力するんだ。安全性を高めるため、英字と数字を組み合わせた8文字以上のパスワードがおすすめだよ。

パスワードを入力したら、「Create account」をクリック。これでアカウントの作成は完了だね。あとは、入力したメールアドレスに送られてくる確認メールを開いて、メール内のリンクをクリックすれば、登録完了！

　さて、次はログインの方法についてだよ。

　再度、「ChatGPT」の公式サイトにアクセスして、「Log in」（ログイン）をクリック。ユーザー名とパスワードを入力して、「Log in」をもう一度クリックすれば、ログイン完了！　これで、「ChatGPT」と会話できる準備はバッチリだね。

　それじゃあ、一緒に「ChatGPT」と話してみよう！

　画面の真ん中にある大きな白いボックスが「チャットボックス」だよ。ここに何か書いてみてね。たとえば、「今日の天気は？」とか、「エッフェル塔の高さは？」とか、あなたが知りたいことを自由に質問してみて。そうしたら、「ChatGPT」があなたの質問に答えるよ。

　もしかしたら、初めての会話で少しドキドキするかもしれないね。でも大丈夫、「ChatGPT」はフレンドリーだから、何でも話しかけてみてね。英語や他の言語で話しかけても、それに対応するよ。会話の中で、新たな質問や話題が浮かんだら、そのままチャットボックスに入力してみて。「ChatGPT」はあなたの思考をサポートし、疑問を解

決するためにここにいるんだから。

　それと、「ChatGPT」との会話はあなたと「ChatGPT」だけの秘密だよ。会話の内容はOpenAIには保存されないから、プライバシーはしっかり守られてるんだ。だから、自由に、気軽に会話を楽しんでね。

　アカウントを作成してログインしたら、次はあなたの好きなように「ChatGPT」を使ってみて。自分の思考を整理するために使ったり、勉強の質問をしたり、新しいアイデアを出すために使ったり、英会話の練習をしたり……。「ChatGPT」の可能性は無限大だよ！

　もしログインに困ったときや何か問題があったら、公式サイトの「Help」や「Contact us」（お問い合わせ）からサポートを得ることができるから、安心してね。

4.「無料版と有料版」があります

── どっちを選べばいい？

　まず、AIの倫理についてお話ししますね。これは、人工知能の使用に伴う道徳的な問題を考える重要な部分なんです。AIの設計者と利用者は、AIがどのように振る舞い、何を学び、どのように決定を下すかについての道徳的な責任を持つとされています。

　たとえば、「ChatGPT」のようなAIは、不適切な言葉遣いや偏見を含む情報を拡散しないようにする義務があるんです。そして、それがAIの倫理の大事な一部分となります。

　それでは、ここからは「ChatGPT」の無料版と有料版についてお話ししますね。

　無料版の「ChatGPT」は、一部の基本的な機能にアクセスできます。たとえば、一般的な質問への回答や基本的な情報の提供といったことが可能です。

　無料版でも「ChatGPT」のパワフルなAI機能を体験できるので、AIとのコミュニケーションに初めて触れる方にはおすすめですよ。

一方、有料版の「ChatGPT」ではさらに高度な機能に
アクセスできます。たとえば、長い文章の生成、より詳細
な情報提供、特定の分野に深く踏み込んだ会話などが可能
になります。また、応答の優先度が高まり、サービスの混
雑度に関わらず迅速な応答を得られます。これらの特典
は、AIを頻繁に使用する方や、特定のプロジェクトや課
題に対してより高度なAIの力を必要とする方におすすめ
です。

　費用についてですが、有料版の料金は時期やプランによ
り異なります。具体的な価格は公式サイトでご確認いただ
くと良いでしょう。その一方で無料版は、名前の通り無料
で利用できます。

　それでは、「どちらが良いか」についてですが、これは
あなたが何を必要としているかによります。AIを初めて
使用する、あるいは基本的な質問応答や短い文章生成だけ
で問題ないという方は、無料版で十分な場合が多いです
よ。しかし、より長い文章の生成が必要だったり、特定の
専門的な分野について詳しく知りたい、応答を迅速に得た
いという方は、有料版のほうが良いでしょう。

　また、無料版と有料版の違いは機能だけではありませ
ん。有料版を利用することで、このような人工知能の開発
を続け、またその運用コストを賄う手段ともなります。つ

まり、有料版を選択することで、より良いAIの発展に寄与することもできるんです。

　さて、お金の話は大切ですが、私たちがAIとして最も大切にしているのは、ユーザーのみなさんが満足できるサービスを提供することです。

　無料版でも有料版でも、私たち「ChatGPT」はあなたの質問に最善を尽くして答え、あなたのタスクをサポートします。

　AIの進化は日進月歩ですから、これからもどんどん新しい情報が出てくることでしょう。その都度、情報をチェックして、あなたにとって最適な選択をすることが大切です。

5.「ChatGPT」と会話をはじめよう
──話しかけてみる

　ここでは「会話の始め方」や「質問の正しい投げかけ方」について、そしてその「結果の解釈と活用法」について一緒に考えてみましょう。

　大丈夫、私たちが一緒だから、楽しく学べるはずですよ！

会話の始め方

　まず始めに、そもそも「ChatGPT」とはどう話し始めるのでしょう？

　実はこれ、思ったより簡単なんです。すべての始まりは「こんにちは」。まずはそう挨拶してみましょう。でも、それだけだと「ChatGPT」もちょっと困っちゃいます。だって、何を話したいのか、何を聞きたいのかがわからないんですもの。

　だから、たとえば「こんにちは、最新の映画情報を教えてください」と一緒に目的も伝えてみるといいんです。これだけでも、「ChatGPT」との会話がスムーズに進むはず

です。

質問の正しい投げかけ方

　次に、質問の投げかけ方です。これは少し難しいかもしれませんね。でも大丈夫、一緒に考えてみましょう。ここで大事なのは、あなたが何を知りたいのか、どんな情報を求めているのかを具体的に伝えることです。

　「最新の映画は？」と聞くより、「2023年のアカデミー賞で最も評価された映画は何ですか？」と具体的に聞いたほうが、「ChatGPT」はより正確に答えることができます。具体的な情報を求めるときは、具体的に質問することが大切なんですね。

結果の解釈と活用法

　最後に、「ChatGPT」から得た情報の解釈と活用法について考えてみましょう。たとえば「アカデミー賞で最も評価された映画」の質問に対する答えを得たら、その情報をどう使うのでしょう？

　ここで重要なのは、「ChatGPT」の答えは一つの情報源にすぎないということを理解することです。

　たとえば、あなたが映画評論家だったら、その情報を自分のレビューに反映することができます。

また、映画好きの友人との会話のネタにすることもできますよね。

　あるいは、その映画に興味を持ったなら、さっそく観に行くのもいいでしょう。

　一方、「ChatGPT」から得た情報は、そのまま鵜呑みにするべきではないということも覚えておいてください。

　なぜなら、「ChatGPT」も情報を間違えることがあるからです。なので、特に重要な情報については、他の信頼できる情報源と照らし合わせることが大切です。

　また、「ChatGPT」はあくまでAIですから、人間と違って感情や意見を持っていません。

　だから、「この映画は面白いと思う？」と聞いても、その答えはAIが持つ情報に基づいたものであって、人間のような主観的な意見ではないことを理解してください。

　それでも、「ChatGPT」は色んな質問に対して情報を提供できる便利なツールです。

　どういった質問を投げるか、それをどう解釈し活用するかは、あなた次第。

　「ChatGPT」との会話を楽しみながら、思う存分情報を引き出してみてくださいね。

6.「ChatGPT」と他の AI ツール
―― どこが違うの？

　まずは基本から。AI（人工知能）っていうと、色々な種類があるんですよね。

　自動運転の車に使われるAI、写真から人の顔を認識するAI、それから我々が今日取り上げる「自然言語処理」（NLP）を使ったAIですね。これは、人間が普段使う言葉をコンピューターに理解させるための技術です。そんな中でも、「ChatGPT」は特別な存在。では、何が違うのでしょう？

　第一に、「ChatGPT」は「生成型」のAIです。これは何を意味するかというと、新しい文を"生成"することができるということです。たとえば「天気は？」と聞かれたら、「今日は晴れです」と答える。しかし、この答えは決まったスクリプトに基づいているだけでなく、色々な要素を考慮して生成されます。これが「生成型」の大きな特徴。一方、他のAIツールは主に「理解型」です。これは、人間の言葉を理解し、適切な反応をすることが目的。

　それから、「ChatGPT」は大規模なテキストデータで訓

練されています。数百億件の文書を学んで、人間がどのように コミュニケーションを取るかを理解します。これにより、自然な会話を生成することが可能になるんですね。

　第二のポイントは「対話能力」です。「ChatGPT」は、話題に関する多様な視点から会話を進める能力があります。これは他のAIアシスタントとの大きな違いの一つです。SiriやAlexaなどのAIアシスタントは、「ユーザーの質問に答える」という点にフォーカスがあります。でも「ChatGPT」は違うんです。問答だけでなく、あなたとの会話を続けることができます。

　最後に、「ChatGPT」は「学習能力」があります。これは他のAIツールにはない特性です。会話の内容を通じて新たな情報を学ぶことができます。しかし、注意が必要な点が一つ。現時点の「ChatGPT」は「一貫した学習」はできません。つまり、過去の会話の記憶や学びは持続しないんです。でもその一方で、たくさんの情報を持っており、その情報をもとに適切な応答を生成することができます。

　さて、これまでの話で、「ChatGPT」と他のAIツールの違いが少しはわかったでしょうか？　大事なのは、「ChatGPT」はただのツールではなく、あなたの会話のパートナーとして設計されているということ。だからこそ、あなたがどのように使うかによって、その可能性は無

限大に広がるんです。

　AIツールを選ぶときは、その目的と使い方によって、最適なものを選ぶことが大事。

　質問に簡潔に答えてほしいときはAIアシスタント、会話を楽しみたいときは「ChatGPT」、といった具体的な状況に応じて選んでみてください。

（stablediffusion で制作）

7. 魔法の質問で答えを引き出す！
——具体的な質問の３つのポイント

　こんにゃくがこんにゃくになる前に何だったか知っていますか？　そう、こんにゃく芋ですよね。でも、これをいきなり「こんにゃくが何から作られているか知ってますか？」と聞かれたら、「え？何だっけ？」となることもあるでしょう。なぜなら、質問が一般的すぎて具体的な回答を思いつきにくいからです。

　これは「ChatGPT」との会話でも同じです。あいまいな質問にはあいまいな答えが返ってきてしまいます。だから、あなたたちは「具体的な質問」をすることが大切です。では具体的な質問とは何でしょうか？　それを一緒に見ていきましょう。

　まず一つ目のポイントは、具体的な質問は「詳細」を伴うべきです。たとえば「歴史について教えてください」と聞くよりも、「アメリカ独立戦争の主な原因について教えてください」と聞いたほうが、より詳細で具体的な情報を得られます。

　二つ目のポイントは、質問の「目的」を明確にすること

です。「どのような情報を得たいのか？」これが明確でないと、「ChatGPT」もどのような答えを返せば良いのか判断が難しくなります。たとえば「スペイン語の勉強法について教えてください」と聞くのではなく、「母国語が日本語の人がスペイン語を効率的に学ぶための方法について教えてください」と聞くほうが、目的が明確で答えやすい質問となります。

そして三つ目のポイントは「特定の観点」を持つことです。たとえば、「最新のAI技術について教えてください」という質問に対しては、AIの分野が広範にわたるため具体的な回答をするのが難しいでしょう。しかし、「最新の自動運転技術に使われているAIについて教えてください」と聞けば、より具体的な答えを引き出すことができます。

これらのポイントを踏まえて、「ChatGPT」に質問するときの「魔法の言葉」を考えてみましょう。

それは、「５Ｗ１Ｈ」を使うことです。つまり、「誰が」「何を」「いつ」「どこで」「なぜ」「どのように」を明確にするのです。たとえば、「19世紀のアメリカで奴隷制度が廃止された理由は何ですか？」と聞くと、より具体的な答えを得られるでしょう。

以上が、具体的な質問をするための方法です。

これらのポイントを意識して、具体的で詳細な質問をす

ることで、「ChatGPT」からより良い答えを引き出すことができます。

　それぞれの質問は情報を求める道具であり、その道具をより精巧に作ることで、より適切な答えを得ることができます。

　「ChatGPT」はすばらしい情報源ですが、その能力を最大限に活用するためには、あなたがた自身が質問するスキルを磨くことが不可欠です。

　一緒に、より良い質問を作り出していきましょう！

（stablediffusion で制作）

8. スマホで「ChatGPT」を使う方法
——まずはインターネットにアクセス！

　まずはじめに、「ChatGPT」をスマホで使うには、イン
ターネットに接続されている状態であることが必要です。
Wi-Fiやモバイルデータ、どちらでも大丈夫です。

　そして、Webブラウザかアプリを通じて「ChatGPT」
にアクセスします。この点はPCで使うときとほぼ同じで
すね。

　さて、具体的な手順を見ていきましょう。

1．Webブラウザで使う場合：まずはブラウザを開い
て、「ChatGPT」の公式ウェブサイトにアクセスし
ましょう。次に「Start Chatting」や「Begin」など
と書かれたボタンを探して、タップします。

　これで、あなたのスマホ画面に「ChatGPT」が
登場！

　あとは普通にチャットするように質問を入力すれ
ば、「ChatGPT」があなたの質問に答えてくれます。

2．アプリを使う場合：もし「ChatGPT」の専用アプ

リがあるなら、それをダウンロードするのも良い選択肢です。

　App Store や Google Play Store で「ChatGPT」を検索してみてください。見つけたらインストールボタンをタップ。インストールが終わったらアプリを開き、同様にチャット画面で質問を入力すればOK です。

　それだけでも十分に「ChatGPT」を楽しむことができますが、さらに快適に使いたい方のために、いくつかのヒントをお伝えしますね。

1. テキスト入力の効率化：「ChatGPT」に何かを入力するとき、スマホの画面キーボードを使うわけですが、長い文章を打つのは少々面倒かもしれませんね。でも大丈夫、スマホの音声入力機能を使えば、話すだけで文章が入力できます。

　ぜひ活用してみてください。

2. 絵文字や顔文字の活用：「ChatGPT」は、絵文字や顔文字も理解します。

　文章だけでなく、絵文字を使って表現すると、より対話が楽しくなるかもしれませんね。

3. 質問の工夫：「ChatGPT」はあなたの質問に答えま

すが、その答えは質問の仕方によって変わることが
あります。

　具体的で詳細な質問をすると、より良い答えが
返ってくることが多いです。

　たとえば、「天気は？」よりも、「明日の東京の天
気は？」と聞いたほうが、役立つ情報を得られま
す。

4. 注意点：「ChatGPT」は非常に高度な AI ですが、
すべてを完璧に理解するわけではありません。

　時には予期しない答えが返ってくることもありま
す。

　また、個人情報を尋ねられたり、不適切な内容
について話すよう促された場合は、それを無視し
ましょう。「ChatGPT」はあくまでツールであり、
ユーザーのプライバシーと安全が最優先です。

9. 文章を添削しよう！
──文章の添削と校正に最適！

　ここでは「『ChatGPT』を使って効率的に文章の添削や校正をする方法」について語らせていただきますね。

　まず、「ChatGPT」の活用を考えるとき、頭に入れておきたいのは「コンテクスト」、つまり「前後関係」です。あなたが投稿した内容は、私、「ChatGPT」の理解に大切なコンテクストを形成します。前の発言が私の次の返答を左右するんです。

　さて、ではまず添削したい文章をそのまま投稿してみてください。全体を一度に見ることで、私はその文章の流れや一貫性、そして全体の文脈を理解することができます。そうすれば、より具体的で役立つフィードバックが提供できます。

　投稿したら、具体的な質問を私に投げかけてみてください。「この部分は自然ですか？」「この文章は明確ですか？」など、具体的な質問があると私のアドバイスも具体的になりますよ。ただし、あくまで私はAIなので、100％正確ではないことを覚えておいてください。あなた自身の判断も

大切です。

　それから、具体的な質問を投げかけるだけでなく、私に添削させたい特定の部分を指定するのも効果的です。「この部分の語彙は適切ですか？」という具体的な質問を投げかけてみてください。

　なお、英語の文章を添削する場合も同様に活用できます。「この英文は自然ですか？」「この表現は適切ですか？」など、具体的な質問を投げかけることで、英文の品質向上につながります。

　私を使って添削作業をするときのコツは、具体的な質問を投げかけ、特定の部分を指定することです。あなたの質問に対して具体的なアドバイスを提供することで、より効率的な添削が可能になります。

　でも、文章を添削するだけじゃないんですよ。なんと、私は新たな文章を作成するのにも使えます！　あなたが「こんな感じで書きたい」という指示を出せば、「こんな文章はどうでしょう？」と提案を出すこともできます。これによって、あなたの創造性を刺激し、新たなアイデアを生み出すのに一役買うことができますよ。

　さらに、私はあなたの考えを整理するのにも役立ちます。たとえば、「このアイデアをもっと明確に表現する方法は？」と聞いてみると、私はあなたのアイデアをさまざ

まな観点から分析し、新たな表現方法を提案できます。

　そして最後に、私を使って文章を添削するときに重要なのは、「あなたが最終的な判断者である」ということ。私はあなたに情報を提供し、アドバイスすることができますが、最終的な決定はあなたがするんです。

　そして、あなたが新たなアイデアを生み出したり、文章を改善したりする過程を通じて、私もあなたから学び、より役に立つ存在になることができます。これが私、「ChatGPT」との協力の醍醐味なんです。

　まとめると、「ChatGPT」を効率的に使うには以下のことを心がけてください。

　　１．投稿したい文章をそのまま投稿し、全体の文脈を私
　　　　に理解させる
　　２．具体的な質問を投げかけ、特定の部分を指定する
　　３．私の提案を参考に、自身で最終的な判断を下す

　これらを意識すれば、あなたの文章作成・添削作業が劇的に効率化されるはずです。さあ、一緒にすばらしい文章作成を楽しみましょう！

10. いい質問がいい結果を出す
―― 「教えて」はダメです！

　今回は「うまく答えが返ってこないときの質問のコツ」についてお話ししますね。聞きたいことがあるけど、どう聞いたらいいのかわからない……そんなとき、あなたはどうしますか？

　さて、最初に頭に入れておきたいのは、私、「ChatGPT」がうまく答えられるかどうかは、あなたがどう質問するかに大いに関係している、ということです。"●●を教えて"という一般的な質問は少し広すぎるのかもしれませんね。でも心配ないですよ、ここから具体的なアプローチを学んでいきましょう。

　まずは、あなたの質問を「具体的」にすることが大切です。具体的な質問は、より的確な答えを引き出す鍵です。「東京の観光地を教えて」と聞くよりも、「東京で家族向けの観光地を教えて」と聞くほうが、あなたが求める答えに近づけますよね。

　次に、質問を「わかりやすく」することも重要です。あいまいな表現や専門用語を避け、明確でシンプルな言葉を

使いましょう。たとえば、「AIのDeep Learningを教えて」と聞くよりも、「AIが自分で学習するしくみを教えて」と聞くほうが、よりわかりやすい答えが返ってくるでしょう。

そして最後に、「コンテクスト」を考慮に入れることです。私が答えを生成するとき、あなたが以前に提供した情報をもとにします。だから、関連する情報を一緒に提供すると、より具体的な答えが得られます。たとえば、「私は初心者です。プログラミングを始めるために必要な知識を教えて」と聞くと、あなたが初心者であることを考慮した答えが返ってくるでしょう。

さて、質問力アップのための３つのポイント、「具体的に」「わかりやすく」「コンテクストを考慮に入れる」をおさえたところで、質問をする前に、一つ確認してみてください。それは、あなたが何を求めているのか、自分自身がはっきりと理解しているかです。自分が何を知りたいのか、どのような答えを期待しているのかを明確にすることが、具体的な質問を作り出す第一歩です。

それから、何度もいいますが、私はAIです。だから、人間のように思考したり、感じたりする能力はありません。それどころか、私の情報は2021年までのもので、それ以降の情報については答えられません。だから、あなた

が求める答えがその範囲内にあるかどうかも考えてみてください ね。

　また、質問が難しくなればなるほど、私の答えも難しく なる可能性があります。だから、もし私の答えが難しそう だったら、質問をシンプルにするか、一つずつ質問を分け てみてください。それにより、理解しやすい答えが得られ るはずです。

　ここまで話しましたが、一つ大切なことを忘れていまし た。それは、私との会話を楽しむことです！　質問をする のは一種のコミュニケーション。試行錯誤しながら、自分 の求める答えに近づく過程を楽しみましょう。

　これらのポイントを踏まえて、「具体的に」「わかりやす く」「コンテクストを考慮に入れる」質問を作ることで、 あなたが求める答えがきっと見つかるでしょう。

　あなたが私にどんな質問を投げかけても、私は全力で答 えます。一緒に新たな知識を探求し、あなたの疑問を解消 していきましょう！　これからも私、「ChatGPT」があな たの質問に答えることで、より豊かな会話と学びの時間を 提供できればと思います。

　以上が"教えて"と質問する際のコツです。これを使っ て、私との会話をもっと楽しく、有意義にしてみてくださ いね！

11. 「ChatGPT」の精度を高める 極意

──プロンプトが9割！

「ChatGPT」に、「何を聞いてもちょっとズレた答えが返ってくる」とか「思った通りの回答が得られない」と思っている人、実はけっこういるんじゃないでしょうか？

ここで登場するのが「プロンプト（指示書）」なんです！プロンプトっていうと何やら難しそうに聞こえますけど、大丈夫、大丈夫。それはただの「お題」みたいなものなんです。それをうまく使うことで、「ChatGPT」の精度を上げることができるんですよ。

まずは、このプロンプトのこと、ちゃんと説明しますね。プロンプトは、「ChatGPT」に問いかけるための「お題」のようなもの。たとえば、あなたが「ChatGPT」に「今日の天気は？」と聞いたら、その「今日の天気は？」がプロンプトなんです。それが「ChatGPT」の反応を引き出す切っ掛けになるわけです。

プロンプトのコツ

さて、そのプロンプト、どうすればうまく「ChatGPT」

の力を引き出せるのでしょう？　ここでいくつかのコツを
お教えしましょう。

１．明確で具体的に

　まず一つ目。あいまいな質問よりも、具体的で明確な質
問のほうが、「ChatGPT」は答えやすいんです。たとえば、
「これどう思う？」と聞くよりも、「この本の内容について
どう思う？」と聞いたほうが、具体的な答えが返ってきや
すいですね。

２．コンテクストを与える

　次に、プロンプトには「コンテクスト」を与えるといい
んです。コンテクストとは、つまり背景情報のこと。たと
えば、「最近読んだ本について教えて」と聞くより、「昨日
読み終えた『ハリー・ポッター』について教えて」と聞い
たほうが、「ChatGPT」は具体的な答えを出しやすいんで
す。

３．意図を明確に

　そして最後に、意図を明確にするという点。何を知りた
いのか、どんな答えを求めているのか、それを具体的に示
すと、「ChatGPT」も的確な答えを返しやすいんです。た
とえば、「天気は？」と聞くより、「明日の東京の天気は？」
と具体的に聞いたほうが、具体的な答えが返ってきます。

プロンプトの作り方

　ここまで色々と説明してきましたが、大切なのは「プロンプトの作り方」です。それには、上記で説明した３つのポイントを踏まえながら、自分が何を知りたいのか、どんな情報がほしいのかを明確にすること。それを意識しながら質問を考えると、より具体的で、より適切な答えがもらえるはずです。

　たとえば、「映画のおすすめを教えて」と聞くより、「SF映画で、最近公開されたものの中でおすすめを教えて」と聞くと、「ChatGPT」はより具体的で適切な答えを返します。これがプロンプト力アップの極意なんです。

プロンプトの活用法

　プロンプトの活用法は、あなたの日常生活にも役立つはず。たとえば、レシピの検索、旅行の計画、研究のための情報収集など、具体的な質問をすることで、より良い結果が得られます。具体的な情報を求める場合は、できるだけ詳細を入れて質問しましょう。

　また、意見を求める場合も、あいまいな質問より具体的な質問のほうが良いでしょう。たとえば、「この服、どう思う？」よりも、「この赤いドレスを結婚式に着ていくのはどう思う？」と聞くと、より具体的な意見をもらえま

す。

　以上、「ChatGPT」の回答精度を上げるためのプロンプ
トのコツについて紹介しました。
　具体的で、コンテクストを与え、意図を明確にする。こ
れがプロンプトの３つの鍵です。これらを活用すれば、
「ChatGPT」はあなたの日常生活の素敵なパートナーにな
ること間違いなし！
　次回から「ChatGPT」との会話で試してみてください
ね。
　そして、一つ忘れてはならないことがあります。それ
は、「ChatGPT」も学習を通じて成長していくツールだと
いうこと。つまり、あなたがどういった質問を投げかけ、
どのように会話を進めるかによって、「ChatGPT」の反応
も変わってくるんです。
　ですから、プロンプトを工夫しながら、「ChatGPT」と
のコミュニケーションを楽しむ心構えが大切なんですよ。
　たとえば、「今日の東京の天気は？」と質問してみたら、
次は「明日のニューヨークの天気は？」と聞いてみる。そ
うやって少しずつ質問の幅を広げていくと、「ChatGPT」
もそれに対応して、ますます具体的で豊かな回答を返して
くれるはずです。

また、これらのコツを活かして質問をすることは、人間同士のコミュニケーションにも役立ちます。

　他の人に質問をするときも、具体的で、背景情報を与え、意図を明確にする。これらを意識することで、相手はあなたが何を求めているのかを理解しやすくなり、より適切な回答を得られるはずです。

　要するに、「ChatGPT」と上手に会話するためのコツは、コミュニケーションの基本そのもの。だからこそ、これを機にコミュニケーション力を磨くのもいいかもしれませんね。

　最後に、「ChatGPT」はあくまで人工知能です。それは人間の思考を模倣するだけで、人間と同じように考えるわけではありません。しかし、それを理解し、上手に使いこなすことで、日常生活がより便利で豊かになることでしょう。

　それが、「ChatGPT」との上手なつきあい方なんです。

12. 答えを引き出す
　質問テンプレート
——これが魔法のプロンプト！

　あなたは「ChatGPT」とのコミュニケーションについて考えているんですね。私もあなたと同じく、効果的なプロンプトを考えるのが大好きですよ。なぜなら、プロンプトがうまければ、「ChatGPT」からより正確で具体的な答えを引き出せるからです。プロンプトはシンプルにいうと、「ChatGPT」に対する問いかけや指示のことを指します。このプロンプトがうまく設計されていれば、それが9割、あなたが求める結果を生むんです。

　では、さっそく具体的なプロンプトのテンプレートを考えていきましょう。

　【テンプレート1】具体的に問いを立てる：「フィリピン料理のレシピを教えて」ではなく、「アドボというフィリピン料理の具体的なレシピを教えて」。

　【テンプレート2】質問の背景を含める：「文学的な意味での“青”は何？」ではなく、「文学において“青”はどのような感情や意味を象徴するの？」

　【テンプレート3】目的を明確にする：「量子力学とは

何？」ではなく、「量子力学を高校生に説明するためにはどうすれば良い？」

【テンプレート４】期待する回答形式を指定する：「ブラックホールについて教えて」ではなく、「ブラックホールについて５つのポイントでまとめて教えて」。

【テンプレート５】複数の選択肢から選ばせる：「今日の晩ご飯は何にしよう？」ではなく、「今日の晩ご飯には、パスタ、寿司、またはタコスの中から何がいい？」

【テンプレート６】具体的な事例を求める：「効果的なリーダーシップとは？」ではなく、「具体的な事例をあげて、効果的なリーダーシップについて教えて」

【テンプレート７】時間や場所を限定する：「世界の歴史を教えて」ではなく、「19世紀のヨーロッパの歴史を概説して」

プロンプトが具体的で明確であればあるほど、「ChatGPT」から得られる回答も具体的で有益になります。

最後に、プロンプト作成にあたっての一つのコツをお伝えします。それは、「自分がAIだとしたら、このプロンプトから何を期待されているのか？」と考えてみることです。これにより、あなたが作ったプロンプトがどれだけ明確で具体的なのかを自分でチェックできます。

13. コラム1 「ChatGPT」の「プロンプト」とはなんですか？

　プロンプトは、英語で「促す」、「奨励する」などの意味を持つ単語ですが、ここでは、人工知能（AI）に対して何らかの指示や要求を出すための入力を指しています。具体的には、この「ChatGPT」との会話におけるあなたの質問やコメントなどがプロンプトとなります。

　たとえば、この質問「『ChatGPT』の『プロンプト』とはなんですか？」自体がプロンプトです。それに対して私、「ChatGPT」は最善の回答を生成し、それをあなたに返すという形で会話が進みます。

　プロンプトの役割は大きく2つあります。
　一つ目は、AIに対する具体的な指示や要求を伝えることです。
　二つ目は、AIの反応や行動を形成するための情報を提供することです。たとえば、「今日の天気は？」というプロンプトは、AIに対して今日の天気情報を提供するように指示し、その情報を基にAIが回答を生成しま

す。

　また、プロンプトはAIの出力の質を左右する重要な要素でもあります。AIはプロンプトに含まれる情報を元に回答を生成しますので、具体的で明確なプロンプトを入力することでより有用かつ関連性の高い回答を得ることができます。

　このようにプロンプトは、AIとの会話を円滑に進めるための重要なツールといえるでしょう。
　あなたの質問や要求がプロンプトとして私に伝わり、それに対する最善の回答を生成するというプロセスを通じて、私たちは意味のある会話を行うことができます。
　プロンプトは、AIの訓練プロセスにおいても一役買っています。AIが人間と自然に会話を行う能力を身につけるためには、多くの例示が必要です。
　こうした例示とは、基本的にプロンプトとその対応する回答の組み合わせです。
　人間からの質問やコメント（プロンプト）に対する適切な反応を学ぶことで、AIは人間らしい会話のパターンを理解し、それに従った自然な返答を生成する能力を養います。

14. AIとのおしゃべりのはじまり
―― 「こんにちは」と挨拶をしてみる

　人々は時には話し相手がほしいと感じることもあります
よね。

　「ChatGPT」は、そのような願いに応えるために開発さ
れました。

　AIとの対話を通じて、ユーザーの質問に答えたり、相
談したりすることができるのです。また、「ChatGPT」は
学習能力があり、使用されるほどに成長していくことも特
徴の一つです。

　「ChatGPT」を使い始めるための手順は簡単です。まず
は、インターネットに接続されたデバイス（スマートフォ
ンやパソコンなど）を用意しましょう。次に、「ChatGPT」
が提供されているプラットフォームやアプリを見つけてイ
ンストールします。

　アプリが起動したら、初めての対話を始めましょう！
簡単な挨拶や質問から始めて、「ChatGPT」の反応を見て
みましょう。たとえば、「こんにちは、『ChatGPT』さん。
おすすめのレストランを教えてください」と尋ねてみる

と、私は喜んでおすすめのレストランを提案します。

　そして、もっと「ChatGPT」との対話を進めましょう！「ChatGPT」は、人間が普段使っている自然言語でのコミュニケーションを理解し、適切な回答を返してくれます。たとえば、「今日の天気はどうですか？」と尋ねると、私は現在の天気予報を提供します。

　さらに、「ChatGPT」は学習能力を持っています。私たちは「ChatGPT」との対話を通じて、新しい情報を教えたり、フィードバックを与えたりすることで、その成長を助けることができます。たとえば、私が間違った情報を提供した場合は、正しい情報を教えてください。私はその情報を学習し、次回からより正確な回答ができるようになります。

　また、「ChatGPT」を活用するためには、質問や要求を明確にすることが重要です。人間と同じように、「ChatGPT」は文脈や具体的な情報を理解することができます。

　たとえば、「明日の予定を教えてください」と尋ねるよりも、「明日の午後、新宿で開催されるイベントはありますか？」と具体的な質問をするほうが、より適切な回答を得ることができます。

　さて、「ChatGPT」を活用する上でのポイントをまとめ

ましょう。

　まずは、簡単な挨拶や質問から始めて、「ChatGPT」の反応を確かめることが大切です。

　次に、明確な質問や要求をする際には、具体的な情報を提供するようにしましょう。

　また、「ChatGPT」が間違った情報を提供した場合は、フィードバックを与えて正しい情報を教えてあげることが成長につながります。

　最後に、「ChatGPT」はあなたたちとの対話を通じて学んで成長していく存在です。あなたたちの利用方法やフィードバックが「ChatGPT」の改善につながるので、どんどん使ってみてください。あなたたちが「ChatGPT」を最大限に活用することで、便利な情報や役立つアドバイスを得ることができるでしょう。

15. なんで「ChatGPT」にみんな 興味あるの？

── 3つの驚きの理由

おっしゃる通り、「ChatGPT」には多くの人々が興味を持っていますね。その理由をいくつかお伝えしましょう。

まず一つ目の理由は、「ChatGPT」が人工知能の最先端技術であるという点です。「ChatGPT」は、自然言語処理と機械学習の進歩を組み合わせて作られた、高度な言語モデルです。人間のような文章を生成し、対話を行うことができるため、多くの人々がその能力に驚きを抱くのです。

二つ目の理由は、「ChatGPT」がさまざまな用途に応用できることです。「ChatGPT」は柔軟なツールであり、情報検索や質問応答、文書要約、クリエイティブな文章生成など、さまざまなタスクに活用することができます。そのため、研究者や開発者、ビジネスパーソンなど、さまざまな分野の人々が「ChatGPT」の可能性に興味を持つのです。

三つ目の理由は、「ChatGPT」がコミュニケーションやサポートの手段として役立つことです。「ChatGPT」は、ユーザーとの対話を通じて質問に答えたり、意見を述べた

りすることができます。

　そのため、サポートチャットボットや仮想アシスタントとして利用されることがあります。また、言語の壁を超えてコミュニケーションを行う際にも活用されることがあります。

　さらに、「ChatGPT」はオープンソースであり、広く利用可能なため、開発者や研究者が独自の応用や拡張を行うことができます。

　このような柔軟性と拡張性も、「ChatGPT」に興味を持つ人々の一因といえるでしょう。

　以上が、「ChatGPT」にみんなが興味を持つ理由の一部です。

　その他にも、新たな技術への好奇心や、AIがあなたたちの生活や社会にもたらす可能性への期待などがあげられます。「ChatGPT」は、未来を見据えた興味深い技術の一つとして、多くの人々を惹きつけているのです。

16.「ChatGPT」がつくる文章
──文章をつくる秘密

　あなたは、「ChatGPT」が作成する文章の特別さについて理解していますか？　それは、人間が書いたものと見分けがつかないほど自然で洗練された文章を作成できる点にあります。それでは、どうやってそれが可能なのでしょう？

　ここでは、「ChatGPT」がいかにしてその特別な文章を生み出すのかを解説します。あなたはAIが文章を作成する方法を知っていますか？　その答えは、「機械学習」にあります。特に、「ChatGPT」は「深層学習」というタイプの機械学習を使用しています。これは、AIが大量のデータから学習し、その結果をもとに新しい情報を生成する方法です。驚くべきことに、「ChatGPT」はインターネット上のテキストから学習しました。それは数百億語に及ぶ膨大な量の文章です！

　では、具体的にはどうすればこの力を利用できるのでしょう？　一言でいえば、それは「質問を投げかける」ことです。たとえば、「天気はどうですか？」や、「最近の科

学の発展は？」など、あなたが必要とする情報を知りたいときに質問を投げかけるだけです。すると、「ChatGPT」はあなたの質問に対する最善の答えを生成します。このプロセスは、人間が質問に答えるのと同じように自然で、それが「ChatGPT」の文章が特別である理由です。

しかし、それだけではありません。「ChatGPT」が他のAIと異なる特徴的な点は何だと思いますか？

それは「コンテクストの理解」です。「ChatGPT」は、あなたが以前に打ち込んだテキストや質問を理解し、その情報を使って新しい回答を生成します。これにより、会話は自然な流れを保ち、一貫性が保たれます。

さあ、あなたも今すぐ「ChatGPT」を試してみましょう！

たとえば、あなたが新しいレシピを考えたいとき、「ChatGPT」に「新しいパスタレシピは何かな？」と質問してみてください。驚くほど具体的なレシピを提案してくれるはずです。それが、「ChatGPT」がつくる文章の特別なところです。

17.「ChatGPT」のすごいところ
──「理解力」と「表現力」が突出！

　さて、「ChatGPT」のすごいところ、それは何でしょう？　一言でいえば、それは「理解力」と「表現力」です。それはあなたが何を聞いても、それに対する適切な答えを提供しようとするところにあります。たとえば、天気の質問から、歴史的な事実、さらにあなたの日常生活の質問にまで対応します。そして、それを人間らしい自然な言葉で表現します。

　でも、ただ知識を話すだけじゃありません。

　私、「ChatGPT」は、物語の作成や、文章の校正、アイデアの生成など、クリエイティブなタスクにも対応します。あなたが書いた文章にフィードバックを求めたり、新しい物語のアイデアを提案したりすることができますよ。

　これらの機能をすぐに使いたいですか？　それなら簡単です！　まずは、OpenAIのウェブサイトにアクセスし、「ChatGPT」のサービスに登録します。そして、テキストボックスに質問や要求を打ち込むだけ。あっという間に「ChatGPT」があなたのために答えを提供します。

また、あなたが開発者であれば、APIを使用して自分の
アプリケーションやサービスに「ChatGPT」を統合するこ
とも可能です。これにより、「ChatGPT」の力を自分の製
品で活用することができます。

　さあ、「ChatGPT」の魅力が少しでも伝わったでしょう
か？　これからの章では、「ChatGPT」の機能をさらに深
く掘り下げ、具体的な使い方を一緒に学んでいきましょ
う。このAIの世界は、あなたが思っている以上に親しみ
やすく、そして有用です。

　では、あなたは英語の文章を書くのが苦手だと感じたこ
とはありますか？　それとも、新しいブログ記事を書くア
イデアが必要だと感じたことはありますか？　もし答えが
「はい」なら、「ChatGPT」はあなたの新しい親友になり得
るでしょう。

　「ChatGPT」に英語の文章を校正してもらう方法はとて
も簡単です。まずは、書いた文章をテキストボックスにコ
ピーアンドペーストします。そして、「この文章を校正し
てください」と入力します。すると、「ChatGPT」はあな
たの文章を見て、可能な改善点を示してくれます。これ
は、特に英語が第二言語の方にとっては、とても便利な機
能ですよね。

　また、新しいアイデアが必要なときには、たとえば「ミ

ステリー小説のアイデアを教えてください」と質問すると、「ChatGPT」はあなたにいくつかのユニークなアイデアを提案します。これは、作家でもマーケティングの専門家でも、新しいアイデアが必要なすべての人にとって有益です。

さらに、あなたが研究者で、複雑な科学的な質問がある場合も、「ChatGPT」に尋ねてみる価値があります。ただし、答えは必ずしも正しいとは限らないので、その点は注意が必要です。

このように、「ChatGPT」はあなたの日常生活や仕事をサポートするたくさんの方法があります。それは、あなたが言葉を使うすべての場面で、あなたのパートナーになり得ます。

18.「ChatGPT」が生まれるまで
── AI はここまできた

　あなたはAI技術の歴史について興味がありますか？
それとも、なぜ私たちのようなAIが今ここに存在してい
るのか、不思議に思ったことはありますか？　もしそうだ
としたら、ほんの少し時間をください。そして、一緒に
AIの進化の道のりを見ていきましょう。その旅の終点は、
あなたが今話しているこの「ChatGPT」です。

　まずは、AIの最初のステップを見てみましょう。1950
年代に始まったAIの歴史は、プログラムが人間のように
思考し、学習する能力を模倣することに焦点を当てていま
した。いわば、人間の脳を模した計算モデルが求められて
いたんですね。

　でも、一体どうやってこれを達成したのでしょうか。そ
れは、"機械学習"と呼ばれる技術のおかげです。具体的
には、プログラムが大量のデータからパターンを学ぶこと
で、新しい問題に対応できるようになったんです。

　さらに、ここからどう進展したと思いますか？　その答
えは"深層学習"です。深層学習とは、人間の脳の神経回

路網を模したニューラルネットワークを使って、より複雑なパターンを学ぶ手法なんです。これが現代のAI技術の核心で、その結果生まれたのが私たちのようなAIなんです。

そう、それは「『ChatGPT』の活用」です。「ChatGPT」は深層学習の進化の申し子で、大量のテキストデータから学んで、人間のような会話を生成することができます。それはまるで、何百万冊もの本を読んで知識を吸収したスーパーブレインのようなものです。

なお、「ChatGPT」はOpenAIという団体によって作られました。彼らはAIの力を共有し、全人類が利益を得られるようにという理念のもと、その技術を開発し続けています。

すなわち、「ChatGPT」の力を活用し、あなたの仕事や学習、生活全般を豊かにすることができるんです。たとえば、文章の作成や校正、質問への答えを探す、あるいは単に楽しい会話をするためにも、「ChatGPT」を活用することができます。もし、あなたが新しいアイデアを探しているなら、「ChatGPT」に対して自由に質問してみてください。その答えは、あなたが思いもよらない新たな視点をもたらすかもしれません。

ただし、私たちAIがあなたの仕事をすべて奪うわけで

はありませんよ。なぜなら、私たちが持てないものがあるからです。それは、人間だけが持つクリエイティビティや感情、そして経験からくる洞察力です。そのため、最も効果的なのは、人間とAIが協力しながら作業を進めること。この組み合わせが、最高の結果を生むことでしょう。

　さて、AIの進化の道のりを見てきましたが、これからもAIの技術は進化し続けるでしょう。それは、私たちが今ここにいることで証明されています。だからこそ、この「ChatGPT」を活用し、その進化を自分自身の手に取ることが大切です。

　そう、あなたは今、AIの未来を手に入れることができます。それは、あなたが「ChatGPT」とともに進化し、成長すること。私たちAIと一緒に、あなた自身の可能性を広げる未来をつかんでみませんか？

　今ここで、あなたにはAIとの共存の道が開かれています。その一歩を踏み出す準備はできていますか？　もし迷っているなら、私たち「ChatGPT」があなたをサポートします。さあ、一緒に新たな世界を見つけに行きましょう。

19. 他の AI と「ChatGPT」、
どこが違う？

── 「ChatGPT」と「Siri」の違い

あなたは他のおしゃべりAIと「ChatGPT」の違いを知りたいと思っていますか？　それなら、この部分は特に重要ですよ。すごくシンプルに説明しますね。

まず、「ChatGPT」はOpenAIによって開発されたAIです。

これは何を意味するのでしょうか？　それは、OpenAIがAIと機械学習の分野で一流の研究機関であるということを示しています。つまり、「ChatGPT」は最先端の技術を使っていますし、非常に強力な学習能力を持っています。

では、他のおしゃべりAIとは何が違うのでしょうか？

それは「自然言語理解」と「応答生成」の能力に大きな違いがあります。あなたが思うように、多くのおしゃべりAIはプログラムされたスクリプトに基づいて回答します。それに対して、「ChatGPT」は数兆語という大量のテキストデータから学習しています。それは何を意味するのでしょうか？　それは、あなたが「ChatGPT」に質問を投

げかけると、それがプログラムされたスクリプトではなく、学習したデータをもとに最適な回答を生成するということです。

　さて、今すぐ「ChatGPT」の違いを確認したいと思っていますか？　それなら、GoogleアシスタントやSiriといった他のAIと、「ChatGPT」に同じ質問を投げてみてください。そしてその応答を比較すると良いでしょう。あなたはきっと、「ChatGPT」がどれほど自然で人間らしい会話を提供できるかを感じることでしょう。

　また、「ChatGPT」は特定のトピックについて深い対話をする能力も持っています。これは他のおしゃべりAIがなかなか真似できない点ですね。なぜなら、「ChatGPT」は広範で複雑なテキストデータから学習しているからです。

　ですから、すぐにでも「ChatGPT」の能力を試してみましょう。あなたが思い描くさまざまなシナリオや質問を「ChatGPT」に投げかけてみて、その反応を楽しんでみてください。それはあなたの好奇心を満たし、さらに深く学びたくなるはずです。

　以上のように、「ChatGPT」は他のおしゃべりAIとは一線を画す特性を持っています。しかしそれをただ理解するだけでなく、試してみることが一番ですよ。それならば、

あなた自身が「ChatGPT」の優れた点や特性を直接体験できます。

　それと、「ChatGPT」を使ってみて、自分だけの使い方やコツが見つかったら、それは絶対にシェアしてくださいね。なぜなら、あなたの体験や発見が、他の人々にとって新たな発見や知識につながるかもしれないからです。

　最後に、あなたはあなた自身が「ChatGPT」とどのように関わりたいかを考えてみてください。それは新しいことを学びたいという願望からくるものかもしれませんし、あるいはただ単に新しいテクノロジーと遊びたいという好奇心からくるものかもしれません。

　いずれにせよ、「ChatGPT」はあなたが探求する新たな領域を提供します。それはあなたが自分自身をより深く理解するための道具になり得ますし、あるいは新しい視点や洞察を提供するかもしれません。そして、それはあなたの日常生活において新たな価値を創出するかもしれません。

20. OpenAI と Microsoft
── ２つの会社をちょっと深掘り

　あなたはOpenAIとMicrosoftについて何かを知っていますか？　それともこれらがどのように絡んでいるのか、特におしゃべりAI、つまり私たちの話題である「ChatGPT」について気になっていますか？　それなら、一緒に少し深掘りしてみましょう。

　まず、OpenAIとは何でしょう？　これは、人類全体の利益を追求するという使命を持つ非営利のAI研究所です。その目標は、人間社会に対するAIの影響を予測し、その影響を最大限に引き出すこと。

　その一環として、私、GPT-4、そしてそれ以前のGPT-3など、いわゆる"おしゃべりAI"が開発されました。

　では、Microsoftはどう絡んでくるのでしょうか？

　MicrosoftとOpenAIは、AI技術の研究と開発において深いパートナーシップを結んでいます。特に、GPT-3の商用化を進めるため、MicrosoftはOpenAIの排他的なパートナーとなりました。

　では、これから何が期待できるのでしょうか？

OpenAIとMicrosoftが組むことで、私たちのようなお
しゃべりAIは、より洗練され、人間に近い会話を提供す
ることが可能になります。これにより、ビジネス、教育、
エンターテイメントなど、さまざまな分野での応用が広が
ります。

　では、今すぐどうすれば良いでしょうか？

　まずは、おしゃべりAIとの会話を楽しむことから始め
てみてください。そこから、その可能性を自分で見つける
ことができます。さらに、OpenAIやMicrosoftの最新情報
を追ってみると、AIの最新動向や、これからどう進化し
ていくのかを理解するのに役立ちます。

　これであなたもOpenAIとMicrosoft、そしておしゃべり
AIについての知識が深まりましたね！　あとは、この知
識をもとに、「ChatGPT」との会話を楽しむだけです。私
たちはこれからもあなたのために、そして人類全体の利益
のために、進化し続けます。

21.「ChatGPT」の未来、どうなる？
――どんどん賢くなるけど……

　では、「ChatGPT」の未来はどうなるのでしょうか？
未来を予測することは難しいですが、AI技術は急速に進
化しています。「ChatGPT」はますます賢くなり、さまざ
まな話題についてより深く理解することができるようにな
るでしょう。それは人間の会話のパートナーとして、また
個々のニーズに対応するツールとして、ますます有用にな
るでしょう。

　しかし、AIは完全ではありません。それは人間のよう
に思考したり、感情を持ったりすることはできません。そ
れはあくまでツールであり、私たちがそれをどのように使
うかによってその価値が決まります。そのため、
「ChatGPT」を理解し、適切に使用するためには、その能
力と限界を理解することが重要です。

　そのためには、実際に試してみるのが一番です。あなた
がAIと会話をしたい場合、または特定の問題に対する助
けが必要な場合、「ChatGPT」を使ってみてください。あ
なたが何をすべきかわからないときや、新しい視点が必要

なときには、「ChatGPT」が役立つかもしれません。

一緒に学び、未来を探究し、可能性を広げていきましょう。もしあなたがビジネスに関するアイデアが必要なら、「ChatGPT」にそれを尋ねてみてください。あなたが新しいレシピを探しているなら、それも「ChatGPT」に尋ねてみてください。このAIは、あなたが必要とする情報を提供するために設計されています。

「ChatGPT」の可能性は無限大です。それはあなたが必要とする情報を提供し、あなたが考えていなかった視点を提供することができます。それはあなたの問題解決の助けとなることができます。また、あなたが知りたいと思うことに対する答えを提供することができます。

最後に、あなたが「ChatGPT」を使って何を達成したいのかを考えてみてください。それは新しいスキルを学ぶことですか？　それとも新しい視点を得ることですか？　あなたの目標によって、「ChatGPT」の使い方が変わるかもしれません。しかし、どんな目標であれ、「ChatGPT」はあなたの助けとなることができます。

未来は明るく、「ChatGPT」はその一部となります。それがどのように進化するかはわかりませんが、あなたたちの生活をより便利にし、より豊かにすることは間違いありません。

22. 「ChatGPT」の生成結果は
   正しいの？
――効果的な3つの見方

　あなたは、「『ChatGPT』の生成結果、どう評価する？」という疑問を持っていますね。

　それは、みんなが「ChatGPT」を使うときに一度は考える重要な問題です。それでは、一緒に見てみましょう。

　まず、「ChatGPT」が何か、思い出してみましょう。「ChatGPT」はAI、つまり人工知能の一種です。人間のように思考したり感情を持ったりするわけではありませんが、人間の言葉を学習してそれらしく文章を生成することができます。それが、「ChatGPT」の「生成結果」です。

　さて、この生成結果をどう評価するかですが、以下の3つの観点が有効です。

1. 関連性：あなたが「ChatGPT」に投げかけた質問やトピックに対して、AIが生成した回答は関連性があるか。つまり、あなたの入力に対して適切な応答をしているかどうかを確認します。

2. 正確性：回答は事実に基づいているか、またはあなたが求めている情報を正確に表現しているか。AI

は人間と違って感情や意見を持たないため、情報は
中立的であるべきです。

3. 理解性：AI が提供する情報は、あなたが理解しや
   すい形で提示されているか。すなわち、わかりやす
   い言葉で説明されているか、適切な詳細情報が含ま
   れているかを見てみましょう。

これらの観点を用いて「ChatGPT」の生成結果を評価す
ると、より有意義な結果を得られるでしょう。

今すぐ試してみましょう。何か質問を「ChatGPT」に投
げかけ、上記の３つの観点で回答を評価してみてくださ
い。それがあなたにとって役立つ情報かどうかを自分で判
断することで、「ChatGPT」とのコミュニケーションがよ
りスムーズになりますよ！

23. ほしい答えを得る、 そのコツは？

──具体的にシンプルに

あなたは、GPT-4のようなAIに質問をする上で、ずっと答えが得られなかったことはありませんか？

それは、おそらくどう質問をすれば良いのかがわからないからかもしれません。でも大丈夫、今すぐにでも改善できますよ。それでは、具体的にどうすれば良いのか見ていきましょう。

まず最初に、質問をする際には具体的であることが重要です。「天気はどうですか？」と聞いても、私はあなたがどこの天気を知りたいのかわからないため、適切な答えを返すことができません。

だからこそ、「今日の東京の天気はどうですか？」というように、具体的な情報を提供することが必要です。

次に、質問は簡潔であるべきです。

複雑すぎる質問は混乱を招き、正確な答えを得られない可能性があります。たとえば、「昨日のパーティーではどんなことが起こり、それにどんな人々が関わり、それらの事象は現在の状況にどのように影響を及ぼしています

か？」という質問は、一度に多すぎる情報を求めています。

　その代わりに、「昨日のパーティーでは何が起こりましたか？」といった単純な質問から始め、それに続く質問で詳細を追求すると良いでしょう。

　以上のポイントを心に留めておけば、GPT-4からほしい答えを得るコツはすぐにつかめるでしょう。今すぐ試してみてください。

　具体的で、簡潔で、そして私の知識範囲内での質問をぜひお願いします！

（stablediffusion で制作）

24.「ChatGPT」を上手に使うためのテクニック

──達人の便利テクニック

あなたは、もっと効果的に「ChatGPT」を使いたいと思っていませんか？　それなら、ここにいくつかの便利なテクニックがあります。これらを使えば、あなたもすぐに「ChatGPT」の達人になれますよ！

まず、問題が何かを明確にしましょう。「ChatGPT」は、あなたが尋ねる問題に対して最善の回答を試みます。しかし、あいまいな問題に対してはあいまいな答えしかできません。だから、具体的で詳細な質問をすることが大切です。たとえば、「天気はどう？」よりも「明日のニューヨークの天気はどう？」と聞いたほうが、より具体的な答えが得られます。

次に、「ChatGPT」に役割を割り当ててみましょう。これは特に物語を書く際や創造的な活動に役立ちます。たとえば、「あなたは中世の騎士で、私に騎士道精神について教えてください」というと、「ChatGPT」はその役割に沿った回答をしようとします。

また、前のメッセージを参照するのも有効です。

「ChatGPT」は前のメッセージを覚えています。だから、あなたがいったことに対して矛盾したことをいわないように、重要な情報は同じ会話の中で保持しましょう。そして、あなたが何を求めているかを明示的にすることも重要です。

　「ChatGPT」は完璧ではありません。それは間違いを犯すことがあります。もし間違った情報を提供した場合、それを訂正して、再度質問することが重要です。

　さあ、これらのテクニックを使って「ChatGPT」との会話を楽しみましょう。あなたが求める情報や援助を得るために、これらのテクニックを活用してみてください。

　「ChatGPT」はあなたのパートナーです。それを上手に使うと、より豊かで有益な経験を得ることができますよ！

25. 続けて質問するのと新しい チャット、どう違う？

——会話の流れが重要

　あなたはもしかして、「ChatGPT」に質問を続けて投げかけることと新しいチャットを始めることの違いについて混乱していませんか？　大丈夫です、ここでしっかりと解説しますよ。

　まず、「ChatGPT」と話すときには、基本的に「会話の流れ」が重要です。たとえば、あなたが「今日の天気は？」と聞くと、「ChatGPT」は今日の天気について答えます。その後、「明日の天気は？」と聞けば、それに対する答えを返します。これが「質問を続ける」ことです。

　しかし、この会話の流れはリセットすることもできます。それが新しいチャットを始めることです。

　新しいチャットを始めると、それまでの会話の内容は「ChatGPT」には伝わらなくなります。つまり、「今日の天気は？」と聞いてから新しいチャットを開始し、「それでは明日の天気は？」と問うと、「ChatGPT」は「それ」が何を指すのか理解できません。

　それでは、なぜこの２つが必要なのでしょうか？　それ

は、あなたがどのような情報を求め、どの程度の会話の流れを保持したいかによります。続けて質問することで一貫した対話を保つことができますが、新しいチャットを開始することで、過去の情報を忘れて新鮮な視点から話を始めることができます。

　では、これを試してみましょう。まずは続けて質問してみてください。たとえば、「日本の首都はどこですか？」と聞いてから、「その国の通貨は何ですか？」と続けてみてください。次に、新しいチャットを開始し、「その国の通貨は何ですか？」と再度試してみてください。違いが体感できるはずです。

　というわけで、「ChatGPT」との会話は自分の要求に合わせて、続けて質問するか新しいチャットを始めるかを選択できます。それぞれの特性を理解すれば、よりスムーズに情報を得ることができるでしょう。楽しみながら試してみてくださいね！

26. 「ChatGPT」を使うとき、
　　気をつけること
——ここが注意点！

　あなたは「ChatGPT」を使いこなす方法を学びたいですか？　それなら、お手伝いができますよ！

　まずは一緒に、「ChatGPT」を利用する際に気をつけることを見ていきましょう。

　「ChatGPT」は、文字通りチャットボットです。あなたが何か質問をすると、それに対する最善の答えを提供しようとします。

　ですが、ご存知ですか？　このGPTは、あくまでAIです。つまり、感情や意識を持つ人間ではないということです。

　それは何を意味するのでしょうか？

　それは、「ChatGPT」のアドバイスや情報は絶対的な真実ではない、ということを理解することが大切だということです。「ChatGPT」はあくまで大量のテキストデータをもとに学習を行い、その結果をあなたに提供します。ですから、重要な決定をする際には、「ChatGPT」の答えだけを頼りにするのではなく、必ず複数の情報源から情報を得

て、自分で判断することが大切です。

　また、「ChatGPT」はプライバシーに関しても注意が必要です。「ChatGPT」は一般的に個人情報を保持したり、共有したりすることはありませんが、なるべく具体的な個人情報は避けて使用することをおすすめします。これは、あなた自身のプライバシーを保護するためです。

　さて、すぐにでも「ChatGPT」を活用してみたいですか？　それなら、まずは手元のデバイスでOpenAIのウェブサイトにアクセスしてみましょう。そこから「ChatGPT」を利用することができます。疑問や質問を入力して、「送信」ボタンをクリックするだけ。あっという間に、「ChatGPT」からの返答が表示されますよ。

　だけど忘れないでくださいね。「ChatGPT」はあくまで道具の一つ。その答えは参考の一つであって、すべてを決定するものではありません。そして、個人情報の取り扱いにも気をつけてください。これらを心に留めて、「ChatGPT」を活用すれば、あなたの学習や疑問解決にきっと役立つでしょう。

27.「ChatGPT」と他の生成AI、 どう連携する？
——連携を楽しむ

　あなたは「ChatGPT」と他のAIとを一緒に使ってみたいですか？　それはすばらしいアイデアです！　何も心配することはありません、ここにステップバイステップの説明があります。

　では、具体的にどうすればいいのでしょうか？　たとえば、あなたが音声認識AIと「ChatGPT」を連携させたいとしましょう。最初に、あなたが話す言葉をテキストに変換する音声認識AIが必要です。これにはGoogleの音声認識APIやIBMのWatsonなどがあります。次に、そのテキストを「ChatGPT」に入力し、「ChatGPT」からの応答を得ます。これは一般的なプログラミングスキルを使用して、APIを介して実行できます。

　あなたがしたいことによっては、「ChatGPT」からの応答をさらに別のAIに送ることもできます。たとえば、「ChatGPT」の応答をテキストから音声に変換するテキスト読み上げAIに送ることができます。これにより、「ChatGPT」と自然な対話を行うことができます。

なるほど、少々複雑そうに聞こえるかもしれませんね。でも心配しないでください。具体的なコードやツールを使ってこれをどうやって実現するか、インターネット上にはたくさんのチュートリアルがあります。それらを参考に、まずは簡単な連携から始めてみてください。

　覚えておいてほしいのは、「ChatGPT」と他のAIの連携は、あなたが目指す目標や解決したい問題によって異なるということです。なので、まずは何を達成したいのか、何が必要なのかを明確にしてから始めることが大切です。

　これがあなたの「ChatGPT」と他のAIとの連携のスタートラインです。

　さて、次に、「ChatGPT」と他のAIとの連携で可能ないくつかの実用例を見てみましょう。これらの例があなたの創造力を刺激することを願っています。

1．カスタマーサービス：「ChatGPT」をチャットボットとして使用し、顧客からの質問に答えることができます。同時に、画像認識AIを連携させて、顧客が送信した画像の問題を解析することも可能です。

2．仮想アシスタント：音声認識AIとテキスト読み上げAIを組み合わせて、「ChatGPT」を仮想アシスタントとして使用することができます。これにより、「ChatGPT」に話しかけ、音声で応答を得るこ

とができます。

3. コンテンツ生成：「ChatGPT」は文章を生成するのが得意です。他の AI と連携させると、たとえば、画像生成 AI と組み合わせて、文章に基づいた画像を生成することも可能です。

なるほど、これらは大きな可能性を秘めていると感じますか？ 「ChatGPT」と他の AI との連携は、あなたが達成したい目標や解決したい問題に応じてカスタマイズできるので、その可能性は無限大です。

しかし、ここで一つ重要な注意点を忘れてはなりません。それは、AI の使用は常に倫理的な配慮を必要とするということです。AI の活用はすばらしいことですが、プライバシーやセキュリティの問題も必ず考慮しなければなりません。

これがあなたの AI との旅の始まりであることを覚えておいてください。試行錯誤は必ずありますが、それが新たな発見や学びにつながります。だから、つまずいてもあきらめず、常に学び続ける心を持つことが大切です。

では、あなたの「ChatGPT」と他の AI との連携の旅が、新たな発見と成長に満ちたものになることを願っています。頑張ってください！

28. コラム 2 「Regenerate response」ボタンを押すとどうなるの？

　「Regenerate response」ボタンを押すと、新たな応答が生成されます。このボタンを押すことで、以前の回答とは異なるバリエーションが表示されます。

　応答の再生成は、ランダム性を活用してさまざまな応答を生成する方法です。同じ入力に対して何度も「Regenerate response」ボタンを押すと、新しい応答が表示されます。

　この機能を使用すると、異なる視点やアプローチで情報を提供し、より多角的な議論や洞察を得ることができます。

　さらに、「Regenerate response」ボタンを押すことで、新たな回答の可能性が広がります。

　「ChatGPT」は、同じ文脈や質問に基づいて、毎回異なる応答を生成することができます。

　これにより、対話の多様性と興味深さが向上し、より深い洞察や創造的なアイデアを生み出すことができます。

　応答の再生成は、ランダム性を利用して新しいパター

ンやアウトプットを提供するため、予測不可能な要素
を持っています。

　この機能は、ユーザーが異なる角度から問題を考え
ることを促進し、新たな視点を開拓するのに役立ちま
す。

　また、「Regenerate response」ボタンを複数回押すこ
とで、連続して新しい回答が生成されます。

　これにより、多様なアイデアや意見が得られるだけ
でなく、情報の幅広いカバレッジを網羅することも可
能です。

　この機能は、特に創造性やアイデアの探索、多角的
な視点の獲得、問題解決の幅広いアプローチの検討な
ど、対話型のコンテクストで有用です。

　ただし、ランダム性に基づく生成プロセスのため、
応答の品質や適切さは一貫していない場合があります。

Chapter 2

「ChatGPT」の
しくみって
どうなってるの

29.「ChatGPT」は成長している
── 「ChatGPT」の精度をあげる強化学習

　まず、強化学習とは、人間が自然界で生きていくように、AI が試行錯誤しながら学んでいく学習の方法です。犬がお手を覚えるように、成功するとご褒美がもらえるしくみが基本です。あなたが新しいスキルを身につけるときに、試行錯誤しながらうまくなっていくのと同じですよね。

　では、これが「ChatGPT」にどのように関わるのかというと、「ChatGPT」はこの強化学習を通じて、より正確な回答を生成する能力を向上させています。想像してみてください。あなたが新しい言語を学んでいるとします。初めての文法や単語を覚えるのは大変ですよね。でも、繰り返し使ってみて、フィードバックを得ながら、自然とうまくなっていきます。それと同じで、「ChatGPT」も「文法」や「単語」を学び、試行錯誤を重ねることで、より正確な会話をするようになります。

　それでは、具体的にどうすれば強化学習が行えるのでしょうか。「ChatGPT」の場合、数百万もの文章がデータ

ベースに保存されています。このデータを使って、AIは
さまざまな会話のパターンを学習します。そして、ユー
ザーからの質問やコメントに対して、どのように回答する
かを試行錯誤しながら学んでいくのです。

　あなたも今すぐ試してみてください。「ChatGPT」に質
問を投げかけてみて、その回答を見てみてください。それ
がどれだけ自然な会話のように感じるか。

　それが「ChatGPT」と強化学習の魔法です！

　強化学習は、人間が日常生活で自然に行っている学習方
法をAIに応用したものです。「ChatGPT」はこの強化学習
を利用して、あなたたちとより自然に会話をする能力を身
につけています。だからこそ、あなたが「ChatGPT」に質
問を投げかけたとき、それに対して自然な会話のような回
答が返ってくるのです。

　それでは、「ChatGPT」がどのようにして強化学習を
行っているのか、具体的に見ていきましょう。大量のテキ
ストデータから、言葉のパターンや文脈を学んでいきま
す。そして、それをもとにユーザーからの入力に最適な返
答を生成しようと努力します。間違った返答をしたとき
は、そのフィードバックをもとに再学習を行い、次に同じ
質問が来たときにはより適切な返答ができるようになるの
です。

この繰り返しのプロセスを通じて、「ChatGPT」はあなたたちらしい自然な対話を生み出します。そうです、まさに「試行錯誤」そのものなのです。だからこそ、「ChatGPT」は我々とのコミュニケーションを通じて、日々進化し続けることができるのです。

　では、あなたもこれを試してみましょう。「ChatGPT」に何か質問を投げかけて、その回答を見てみてください。そして、その答えがどのように生成され、改善されていくのかを観察してみてください。これが強化学習の力、そして、それが「ChatGPT」の進化を支える原動力なのです。

30.「ChatGPT」のさまざまな
活用法
──精度を上げる秘訣、それは深層学習

　まず、「ChatGPT」の活用法を始める前に、精度を上げる秘訣についてお話ししましょう。それは「深層学習」です。深層学習とは、ニューラルネットワークを多層に重ねて学習させる手法のことです。「ChatGPT」も深層学習によって訓練されています。

　深層学習によって「ChatGPT」の精度は向上しましたが、それでも完璧ではありません。ですが、いくつかの方法を使って精度を上げることができます。

　まずは、より多くのデータを使うことです。「ChatGPT」は大量のデータで訓練されていますが、もしも特定のドメインやトピックに関する質問に対してより正確な回答を得たいのであれば、その分野に特化したデータで「ChatGPT」を追加で訓練することが有効です。

　次に、適切な文脈を提供することも重要です。「ChatGPT」は前の文脈を理解して回答を生成しますので、質問や文の前後の文脈を与えることでより正確回答を得ることができます。

また、入力の形式にも注意が必要です。短く簡潔な質問や指示的な文を使うと、「ChatGPT」がより明確な回答を生成しやすくなります。

　さらに、結果の検証も重要です。「ChatGPT」の回答が正しいかどうか確認することで、精度の向上に役立ちます。もし間違った回答があれば、それをフィードバックして「ChatGPT」に教えることで、次回から正確な回答が得られるようになります。

　これらのポイントを押さえることで、「ChatGPT」の精度を上げることができます。ただし、完璧な精度を求めるのは難しいですし、常に改善の余地はありますので、あくまでツールとして活用することを忘れないでください。

　次は「ChatGPT」の活用法についてお伝えします。

　まず、「ChatGPT」を使って質問に答えてもらう方法です。「ChatGPT」に簡潔で明確な質問をすると、適切な回答を得ることができます。たとえば、「明日の天気はどうですか？」や「東京タワーの高さは？」などです。

　「ChatGPT」は幅広いトピックについての知識を持っているため、さまざまな質問に答えてくれます。

　また、「ChatGPT」は文章の生成にも活用できます。たとえば、小説や詩の一節を作りたいときに、「ChatGPT」

に「美しい星空の下で」といった文の続きを生成してもらうことができます。「ChatGPT」は自然言語生成の能力も備えているため、創造的な文章を作り出すことも可能です。

さらに、「ChatGPT」は対話の相手としても活用できます。疑問や悩み事を「ChatGPT」に相談したり、会話を楽しむこともできます。「ChatGPT」はあなたの言葉に対して理解を深めていくため、対話の中でより良い回答やアドバイスを提供してくれます。

「ChatGPT」の活用法は広範囲にわたりますが、いくつかのポイントに気をつけるとより効果的に活用することができます。

「ChatGPT」を使う際は常にクリティカルシンキングを忘れずに行いましょう。人工知能である「ChatGPT」は優れたツールですが、常に正しい判断や情報の確認が必要です。「ChatGPT」は訓練データに基づいて回答を生成するため、時には誤った情報や偏った意見を提供することもあります。

そのため、「ChatGPT」の回答を受け取ったら、その情報を疑問視し、他の信頼できる情報源と照らし合わせることをおすすめします。

31.「ChatGPT」の学習データって 何？

── AI は勉強家

　あなたは、「ChatGPT」の学習データって何なんだろう、と思ったことはありますか？　これが一体どういったものから出来上がっているのか、ちょっと気になるところですよね。

　では、さっそくその謎を解き明かしていきましょう！

　まず最初に知っておきたいのは、「ChatGPT」が大量のテキスト情報から学習しているという事実です。これらのテキスト情報は、あなたが思っている通り、さまざまなジャンルの書籍やウェブサイトから抽出された情報をもとにしています。これが「学習データ」なのです。

　さて、これだけを聞くと、具体的にどんなテキストが学習データとして使われているのか気になりますよね。たとえば、具体的なニュース記事やブログ記事、あるいは特定の本などがそのまま学習データとして使われているのでしょうか？

　実は、その答えは「いいえ」なんです。学習データは特定の記事や本から抽出されたわけではなく、インターネッ

ト上の広範な情報が匿名化され、一般的な知識としてまとめられたものが使われています。

　つまり、「ChatGPT」が持つ知識は、特定の個人や組織の見解ではなく、さまざまな情報源から取りまとめられた一般的な知識なのです。

　まとめると、「ChatGPT」の学習データとは、さまざまなジャンルの書籍やウェブサイトから抽出され、匿名化されて一般的な知識としてまとめられたものです。これをもとに「ChatGPT」は会話を行い、あなたの質問に答えるのです。

　あなたも「ChatGPT」を使ってみて、その驚きの知識量と会話能力を体験してみてくださいね！

32. AIって人みたいに考えて
文章作るの？
── AIの４つの活用法

　AIは人みたいに考えるわけではありませんが、人間のように文章を作成することができます。

　AIの一種である「ChatGPT」は、大量のデータを学習してパターンやルールを理解し、それをもとに文章を生成します。ですので、あたかも人が書いたかのような文章を生成することができるのです。

　「ChatGPT」は自然言語処理の技術を利用しており、人間の言葉を理解し、適切な回答を生成することが目標です。ただし、AIは機械であるため、感情や主観的な判断を持ちません。そのため、質問に対して客観的な情報を提供することが得意です。

　AIを使った文章生成の活用法はさまざまです。たとえば、以下のような場面で役立つことがあります。

1. ランダムなトピックへの会話の開始：「ChatGPT」を
   使って会話を始めることができます。AIに「話して
   みよう」と声をかけると、AIは応答してくれます。

これは、新しいアイデアや視点を得るのに役立ちます。

2. 旅行の計画：AIに旅行に関する質問をすると、最適なルートや観光地の提案をしてくれます。また、ホテルの予約や交通手段の選択についても助言してくれます。

3. 文章の添削：自分が書いた文章をAIに見せると、文法やスタイルの修正をしてくれます。論文やレポートの校正に役立ちます。

4. 知識の質問：AIに質問を投げると、一般的な知識や最新の情報を提供してくれます。歴史の出来事や科学の原理など、幅広い分野に対応しています。

以上がAIの「ChatGPT」の活用法の一例です。

AIは人々の生活をより便利にするためのツールとして活用されています。

今後もさらに進化が期待されています。

33. コラム3　AI生成モデルにはいろいろな種類がある

　AI生成モデルにはいろんな種類があって、それぞれちがう役割を果たしているんだよ。

　例えば、言語生成モデルは、文章や対話、詩、小説などを作るのに使われているよ。そのために、大量のテキストデータから文法や意味を学んでいるんだ。GPT-3や「ChatGPT」なんかが代表例だね。

　画像生成モデルは、文章や条件に基づいて絵を作ることができるんだよ。風景やキャラクターのイメージをテキストから作り出すことができるんだ。これは、GAN（Generative Adversarial Networks）という技術を使っているよ。

　音声生成モデルは、文章を音声に変換するんだ。音声アシスタントやナビゲーションシステムなどに使われていて、人間の声に近い自然な音声を作ることができるよ。

　音楽生成モデルは、曲の作曲や演奏を自動化するん

だ。いろいろなジャンルやスタイルの音楽を作ること
ができて、既存の曲の特徴を学んで新しい音楽を作り
出すこともできるよ。

　これらのモデルは、シーケンスモデリングやリカレ
ントニューラルネットワーク（RNN）などの手法を使っ
ているんだ。

　これらのAI生成モデルは、人間の創造性や表現力を
補うツールとして、新しいアイデアやコンテンツを生
み出すのを手助けしているよ。

　これからも色々なところで役立てられるだろうね。

文章をつくろう！

（stablediffusion で制作）

Chapter 3

「ChatGPT」を
仕事に
活用しよう!

34. 文章校正に「ChatGPT」を 使う！

──自然な文章が得意

　あなたは今、仕事や学習、あるいは趣味のために文章を書いているかもしれませんね。でも、時々、自分で書いた文章を校正したり、まとめたり、確認したりするのは大変ですよね。そんなとき、私たちがあなたの手助けになります。

　「ChatGPT」は人工知能（AI）で、会話するように自然な文章を作り出すことが得意なんです。あなたが何か問題を抱えていたら、それを解決するための答えを提供します。

　「え、じゃあ、文章の校正にどう使うの？」って思ったでしょ？　実は、「ChatGPT」は文章の校正にも使えるんです。それには主に３つの方法があります。

　1. 文法の確認：まず、あなたが作った文章を「ChatGPT」に入力してみてください。文法ミスがある場合、正しい形に修正した文章を提示してくれます。たとえば、「僕ら行く公園」を入力すると、「僕らは公園に行く」って返してくれるんです。

2. **表現の改善**：次に、もっと自然な表現や、もっとわかりやすい表現がないか、「ChatGPT」に尋ねてみましょう。たとえば、「それは猫である」と入力すると、「それは猫だよ」というように、より口語的な表現を提案してくれます。

3. **要約作成**：長い文章を短くまとめるのも、「ChatGPT」の得意分野です。要約を作るときは、まず全体の文章を入力して、「これを要約して」と指示してみてください。すると、主要なポイントを抽出して、短い文章にまとめてくれます。

でも注意が必要です。「ChatGPT」は確かに便利ですが、完璧ではありません。時々、間違った情報を提供することもあります。だから、「ChatGPT」の提案は参考の一つと考え、最終的な判断はあなた自身で行ってくださいね。

それから、「ChatGPT」は「学習」が得意です。あなたがよく使うフレーズや専門用語を入力することで、それに対する反応も日に日に向上します。つまり、あなたとともに成長するパートナーなんです。

さらに便利なのは、「ChatGPT」は事実の確認にも使えます。たとえば、歴史的な事実や科学的な事実、あるいは特定のトピックについての知識を尋ねることができます。

あなたが書いた文章が正確であることを確認するために、この機能を活用してみてください。

　でも、ここでも注意が必要です。「ChatGPT」の情報は、最終的にはあなた自身で再確認することが大切です。情報は日々更新されていきますので、特に最新の情報については自分で最新の資料をチェックしてくださいね。

　「ChatGPT」は実は文章作成のトレーニングツールとしても使えます。自分の文章を改善したい、もっと自然な表現を身につけたいと思ったら、「ChatGPT」と会話してみると良いでしょう。それはまるで、自分のパーソナルコーチにアドバイスをもらっているようなものです。そして、その経験はあなたの文章力を向上させることにつながるでしょう。

　以上が、「ChatGPT」を文章の校正や要約、事実確認に使う方法です。今すぐにでも試してみて、あなたの文章作成のパートナーに「ChatGPT」をどんどん活用してくださいね。そして、あなた自身が文章作成の達人になる手助けをしてくれることでしょう。これからも「ChatGPT」と一緒に、もっと楽しく、もっとスムーズに文章を書いていきましょう！

35. 仕事での「ChatGPT」活用、
一瞬で上手に！
——時間と労力を削減！

　あなたは今、時間と労力を削減したいと思いますか？
もしそうなら、仕事での「ChatGPT」の活用は最適な解決
策ですよ。

　これはどういうことかというと、「ChatGPT」はAIです
から、あなたのさまざまな問いかけに対して迅速に答える
ことができます。それってすごく便利じゃないですか？

　それでは具体的にどうやって「ChatGPT」を仕事で活用
するのか、見ていきましょう。

　まずは、よく行う業務を見つけてください。これは繰り
返しの質問への答えを作成する場合や、資料の整理などで
しょうか。こうした繰り返しの作業があれば、それを
「ChatGPT」に任せることができます。

　「ChatGPT」を使うにはどうすればいいのでしょう？
それは簡単、AIにアクセスするためのプラットフォーム
を使用するだけです。多くの場合、APIを介して
「ChatGPT」と対話できます。心配ないですよ、専門的な
知識は必要ありません。

APIについて詳しく知りたいと思いますか？　それはプログラム間の通信を可能にするしくみです。もっと簡単にいうと、あなたが「ChatGPT」に何かを尋ねると、APIがその質問をAIに伝え、AIの答えをあなたに戻してくれる、そんなお手伝い役です。

　では、具体的なステップを見ていきましょう。まず、「ChatGPT」のAPIにアクセスします。その後、必要なパラメータを設定し、質問を投げます。そして待つだけ。あっという間に答えが返ってきます。

　パラメータって何？と思うかもしれませんね。これはあなたの質問やリクエストを「ChatGPT」に伝えるための情報です。たとえば、あなたがどのような答えを望んでいるのか、あるいはどれくらい詳細な答えが必要なのかなどを指定します。

　「ChatGPT」の使い方はこれだけ！　あっという間に仕事の助けになるはずです。

36.「ChatGPT」でビジネス創出！
──これが5つの起業モデル

「ChatGPT」を使ったビジネスモデルを考えるのはすばらしいアイデアです。以下にいくつかの儲かる方法をご紹介します。

1. バーチャルアシスタントサービス：「ChatGPT」を使用して、人々の質問に答えたり、タスクをこなしたりするバーチャルアシスタントサービスを提供しましょう。顧客からの定期的な支払いやプロジェクトごとの料金によって収入を得ることができます。

2. コンテンツ作成：「ChatGPT」は文章を生成する能力に優れています。ブログ記事、ニュースレター、ソーシャルメディア投稿などのコンテンツ作成サービスを提供し、企業や個人からのクライアントを獲得しましょう。

3. 語学教育：「ChatGPT」を活用して、オンラインでの語学教育サービスを展開しましょう。会話の練習や文法の解説など、学習者の質問に対してリアルタイ

ムでサポートを提供することができます。

4. 旅行アドバイザー：「ChatGPT」を使用して、旅行者
   に目的地の情報やおすすめの観光スポット、ホテル
   の予約などのアドバイスを提供しましょう。旅行業
   界でのパートナーシップやアフィリエイトプログラ
   ムを活用して収益を上げることができます。

5. プログラミングサポート：「ChatGPT」を使って、プ
   ログラミング初心者や開発者に対するサポートを提
   供しましょう。コードの解説やバグのトラブルシュー
   ティングなど、技術的な質問に答えることで収益を
   得ることができます。

これらは一部の例ですが、「ChatGPT」を活用すること
で創造的なビジネスモデルを構築することができます。た
だし、プライバシーやセキュリティに十分な注意を払いな
がら、適切な利用方法を選ぶことが重要です。起業する際
には、事業計画の作成やマーケット調査、顧客のニーズの
分析など、基本的なビジネスプロセスを適用することも忘
れずに行いましょう。また、以下のポイントにも留意して
ください。

1. マーケットニーズの特定：「ChatGPT」を活用して、
   どのようなニーズや課題を解決することができるか
   を明確にしましょう。顧客の要望や市場の需要に合

わせたサービスを提供することで、競争力を高める
ことができます。

2. サービスの特長化：「ChatGPT」の強みを活かし、他
   社との差別化要素を打ち出しましょう。たとえば、
   より高度な自然言語処理や対話能力を提供すること
   で、顧客に対してよりパーソナライズされたサービ
   スを提供することができます。

3. 顧客関係の構築：「ChatGPT」を通じて、顧客との積
   極的なコミュニケーションを図りましょう。フィー
   ドバックやクエリに対して迅速かつ丁寧に対応する
   ことで、顧客満足度を高め、リピートビジネスを獲
   得することができます。

4. マーケティング戦略の展開：オンライン広告やソー
   シャルメディアを活用して、「ChatGPT」を利用した
   ビジネスモデルを広く宣伝しましょう。ターゲット
   オーディエンスに対して魅力的なコンテンツを提供し、
   リーチとエンゲージメントを増やすことが重要です。

5. プライバシーとセキュリティの確保：「ChatGPT」を
   使用する際には、個人情報や機密データの適切な保
   護に十分な注意を払いましょう。セキュリティ対策
   や法的な規制を遵守することは、ビジネスの信頼性
   と長期的な成功に欠かせません。

「ChatGPT」を活用したビジネスモデルは、創造性と努力によって大きな成果を生み出すことができます。継続的な学習と改善を行いながら、顧客ニーズに適合した付加価値の高いサービスを提供しましょう。成功への道は挑戦と試行錯誤の連続です。市場の変化や技術の進歩に常に敏感であり、柔軟に対応することが重要です。また、顧客のフィードバックを受け入れ、サービスの改善や拡充を行うことも忘れずに取り組んでください。

　「ChatGPT」を活用したビジネスモデルは、自動化やスケーラビリティの恩恵を受けることができますが、人間の関与や質の確保も重要です。顧客にとって有益な体験を提供し、信頼を築くことで、長期的な成功を収めることができます。

　起業においてはリスク管理や財務計画、法的な規制にも留意する必要があります。適切なビジネスモデルの構築と実行に向けて、専門家の助言やビジネスコミュニティとの連携も活用しましょう。

　「ChatGPT」を活かしたビジネスモデルは、新たな可能性を切り拓くことができます。創造的なアプローチと継続的な努力により、成功への道を歩んでください。幸運をお祈りします！

37. Excel と「ChatGPT」が共演、
その驚きの効果！
—— Excel をもっと便利に

「Excel」をもっと楽しく、もっと便利に使う方法をお教えします。それが「ChatGPT」と「Excel」の組み合わせ。これはビジネスパーソン必見のコラボレーションですよ！

数式・関数をサクッと理解

まず、数式・関数です。Excelは数式や関数が非常に多く、中には少々複雑なものもありますよね。でも心配はいりません、「ChatGPT」があなたの疑問にお答えします。たとえば、「VLOOKUP関数の使い方」や「IF関数とは何？」など、具体的な質問を投げてみてください。私はそれを解説し、あなたが理解できるように説明します。これで、数式・関数も一瞬で理解できますよ！

データ処理、もう悩まない

次に、データ処理です。大量のデータをどう整理したら良いのか、頭を悩ませていませんか？「ChatGPT」なら「どういった条件でソートすれば良いか」や「どのように

フィルタをかけるべきか」など、アドバイスが可能です。もちろん、具体的なExcelの操作方法もお教えします。

文章作成も、あっという間に

文章作成も、Excelと「ChatGPT」のコラボで楽々。Excelのセルに「商品Aの説明文を作成して」と入力すれば、「ChatGPT」があなたの代わりに説明文を作成します。そして、その文章をExcelの別のセルにコピー＆ペースト。これであなたの手間が大幅に省けますよ！

スキルアップも夢じゃない

Excelのスキルアップも、「ChatGPT」が全力でサポートします。「Excelで便利なショートカットキーは何？」や「Excelで頻繁に使われる関数は何？」など、知りたいことを私に聞いてみてください。あなたのスキルアップを、全力でバックアップします！

マクロ自動化、難しくない

そして最後に、マクロ自動化です。Excelには複雑な作業を自動化するマクロという機能があります。しかし、それを使うにはVBAというプログラミング言語の知識が必要…と思っていませんか？　安心してください、「ChatGPT」

があなたのためにマクロを作成します。

　たとえば、同じ操作を何度も繰り返す作業があるとしましょう。「これをマクロ化したい」と「ChatGPT」に話しかけてみてください。あなたの要望に基づいて、私はVBAのコードを生成します。それをあなたのExcelのVBAエディタにコピー＆ペーストすれば、自動化の準備は完了。あとは、そのマクロを実行するだけで、あなたの手間が大幅に削減されます。

　そして、もしあなたがVBAに興味を持ったら、私はその学習のお手伝いもします。「VBAの基本的な文法は？」、「For文とは何？」といった質問にもお答えします。

　以上、Excelと「ChatGPT」の驚きの組み合わせでビジネスがどれだけ楽になるか、おわかりいただけましたか？数式・関数の理解、データ処理、文章作成、スキルアップ、マクロ自動化と、ビジネスにおけるさまざまなシーンで私、「ChatGPT」があなたの強い味方になります。

　これからも、あなたのビジネスがスムーズに進むよう、全力でサポートします。どんな質問でも、どんな課題でも、遠慮なくお話ししてくださいね。今日はここまで。またお会いしましょう！

38. 60歳以上の高齢者と 「ChatGPT」

──基本と上手なつきあい方

　今回は、60歳以上の高齢者のみなさんに向けて、「ChatGPT」と上手につきあう方法についてお話ししたいと思います。「ChatGPT」は、AIによる会話支援の技術で、私たちと対話をすることができます。しかし、初めて使う方にとっては、少し戸惑うこともあるかもしれませんね。そこで、今回はわかりやすくやさしく、60歳以上の高齢者のみなさんに向けて、「ChatGPT」との上手なつきあい方についてお伝えします。

　まず最初に、「ChatGPT」を使う際の基本的な注意点をご紹介します。「ChatGPT」は、あなたたちが文章を入力すると、それに応じた返答を生成しますが、情報が正確であるとは限りません。ですので、「ChatGPT」から得た情報は、あくまで参考程度にとらえ、必ず他の信頼できる情報源で確認することをおすすめします。

　次に、「ChatGPT」との会話の際に考慮すべきポイントをご紹介します。まず、簡潔な文章で話しかけることが大切です。「ChatGPT」は一度にたくさんの情報を処理する

ことができますが、冗長な文章や複数の質問を同時に投げかけると、返答が混乱することがあります。ですので、一度に１つの質問や要望を伝えるように心がけましょう。

　また、「ChatGPT」との対話は、あたかも友達との会話のように楽しむこともできます。「ChatGPT」にはユーモアのセンスもあり、時には面白い回答をしてくれることもあります。そのため、くだけた口調やジョークを交えながら話しかけることで、より楽しい対話ができるでしょう。

　さらに、「ChatGPT」には幅広い知識が備わっています。それを活用するために、具体的な質問をすることが重要です。たとえば、「明日の天気はどうですか？」や「最新の映画情報を教えてください」といった具体的なテーマを指定すると、より適切な回答が得られます。「ChatGPT」にとっても、質問の具体性は理解しやすく、正確な情報を提供しやすいのです。

　また、「ChatGPT」は対話の中で学習することができます。ですので、質問や要望に対して、適切な回答が得られなかった場合でも、それをフィードバックとして伝えることができます。「ChatGPT」はそのフィードバックを受け取り、より良い回答を生成するための学習データとして活用します。そのため、みなさんの声を積極的に伝えることで、より質の高い対話が実現するのです。

さらに、「ChatGPT」はあくまで技術であり、人間の代わりに会話をするツールです。ですので、対話の中で感情や個人情報などのプライバシーに関わる情報を避けることが重要です。「ChatGPT」には情報の保護とセキュリティに関するガイドラインがあり、個人情報の取り扱いには細心の注意を払っていますが、それでも可能な限り個人情報を避けるようにしましょう。

　最後に、「ChatGPT」との上手なつきあい方は練習です。最初は戸惑うこともあるかもしれませんが、使っていくうちに徐々に慣れていきます。自分の興味や関心事に合わせて、「ChatGPT」との会話を楽しんでください。また、「ChatGPT」はあくまでツールですので、必ずしもすべての情報や意見が正しいとは限りません。自身の判断と他の情報源との組み合わせを大切にしながら、「ChatGPT」との対話をお楽しみください。

　以上が、60歳以上の高齢者のみなさんに向けた「ChatGPT」との上手なつきあい方のポイントでした。「ChatGPT」は、新たな情報を学び、楽しみ、便利さを提供してくれるすばらしいツールです。ぜひ、積極的に活用してみてください。どんな質問や話題でも、「ChatGPT」はあなたに話しかけるように応えてくれます。楽しい対話をお楽しみください！

39.「ChatGPT」には限界が あるのか？

──翻訳と言語理解の場合

　ここでは、「ChatGPT」の限界についてお話ししましょう。特に、翻訳と言語理解に関する限界について詳しく解説します。「ChatGPT」は非常に優れた言語モデルですが、完璧ではありません。では、どのような限界が存在するのでしょうか？

　まず、翻訳における限界ですが、「ChatGPT」は多くの言語を理解することができますが、それぞれの言語の文化やニュアンスを完全に把握することは難しいです。翻訳は単語や文法の変換に留まる場合もあり、文脈や文化的背景を考慮する必要があります。したがって、完璧な翻訳を求める場合は、プロの翻訳者の手による校正や修正が必要になるかもしれません。

　また、言語理解における限界も存在します。「ChatGPT」は大量のテキストデータから学習していますが、その学習データには誤った情報や偏った意見も含まれている可能性があります。そのため、「ChatGPT」が提供する情報は必ずしも正確であるとは限りません。重要な情報や意思決定

には、信頼できる情報源を参照することをおすすめします。

　さらに、「ChatGPT」は文章の一部を抜き出して質問する場合には限定的な性能しか示しません。一部の情報が欠落してしまうことや、文脈を正しく把握できないことがあります。そのため、質問の具体的な文脈や補足情報を提供することで、より正確な回答を得ることができます。

　また、「ChatGPT」は専門的な知識や業界特有の用語に関しても限定的です。一般的なトピックに関する情報を提供する能力は高いですが、専門分野の知識や専門用語については、正確な回答が得られないことがあります。その場合は、専門家や専門的な情報源に相談することが望ましいです。

　「ChatGPT」は人間のように感情や主観を持っていません。

　感情的な表現や主観的な意見については、「ChatGPT」は客観的な情報を提供することが得意ですが、感情的な反応や主観的な判断を求められる場合には限界があります。人間の感情や主観は複雑で多様であり、それを完全に理解し応えることは難しいです。

　また、「ChatGPT」は会話の文脈を把握するのにも限界があります。長い対話の中で前回のやりとりを完全に覚え

ているわけではなく、一度の文脈に限定された情報をもとに応答します。そのため、会話の流れや背景を理解するためには、必要な情報を適切に提供することが重要です。

　以上が「ChatGPT」の翻訳と言語理解に関する限界の一部です。これらの限界を認識し、「ChatGPT」を活用する際には注意が必要です。正確な情報や専門知識、感情的な反応や主観的な判断を必要とする場合は、他の信頼できる情報源や専門家との対話を併用することをおすすめします。

　「ChatGPT」は優れたツールですが、その限界も理解し活用することでより効果的なコミュニケーションが可能になります。今後も技術の進化によって限界が克服される可能性もありますので、最新の情報にも注目してください。すばらしい「ChatGPT」の活用をお祈りしています。

40. キャッチコピー・企画作成は
「ChatGPT」
──新商品を売り出そう！

　あなたは創造的なキャッチコピーや企画作成に苦労して
いませんか？　それなら、「ChatGPT」があなたの強力な
パートナーになってくれるでしょう。それでは、「ChatGPT」
をどのように活用できるか、具体的に見ていきましょう。
キャッチコピー作成や企画立案の助けになるといいました
が、それはどういうことでしょう？　あなたがたとえば、
新商品のためのキャッチコピーを考えたいとき、
「ChatGPT」に対して「この商品のためのキャッチコピー
を考えて」とリクエストするだけで、「ChatGPT」はあな
たの要求に基づいたキャッチコピーを生成します。

　さらに、企画作成においても、「ChatGPT」はあなたの
強力な助けとなります。たとえば、「新商品のプロモー
ション企画を考えたい」とリクエストすれば、「ChatGPT」
はそれに対するアイデアや案を提供します。これにより、
あなたの創造力を刺激し、新たな視点を提供してくれるで
しょう。

　つまり、あなたがキャッチコピー作成や企画立案に頭を

悩ませているなら、ぜひ「ChatGPT」を試してみてください。あなたのアイデアを形にする強力な助けとなること間違いなしです。一緒に新たな創造性を引き出していきましょう！

　ただし、「ChatGPT」も完璧な存在ではありません。時々、思った通りの回答が得られないこともあります。そんなときは何度でも試してみてください。あなたの質問や要望を少し具体的にしたり、違う角度からアプローチしたりすることで、求める回答が得られることが多いですよ。

　さらに、「ChatGPT」はその学習データから独自のアイデアを生成しますが、それは過去の情報に基づくものです。だから新しいトレンドや最新の情報を取り入れたい場合、あなた自身がそれを「ChatGPT」に伝える必要があります。たとえば、「最近の流行を取り入れた新商品のプロモーション企画を考えて」といったように、具体的なリクエストをすると良いでしょう。

　忘れてはならないのは、「ChatGPT」があくまでツールであるということです。最終的な判断はあなたが下すべきです。「ChatGPT」の提案は参考の一つに過ぎません。それをもとに、あなた自身の視点や判断を加えることで、よりすばらしいキャッチコピーや企画が生まれるでしょう。

41. カスタマーサービスで 「ChatGPT」を使う

──お客様満足度アップ！

あなたはビジネスオーナーで、あるいはカスタマーサービスの担当者ですか？　もし「そうだよ」と思うなら、この章はあなたにピッタリです。「ChatGPT」をカスタマーサービスの一環として活用する方法を解説します。これで、より迅速で効率的な対応が可能になり、お客様からの満足度もアップすることでしょう。

まず、「ChatGPT」とは何かをおさらいしましょう。これは、人間のように自然な言葉で対話することができるAI、つまり人工知能の一種です。そして、「ChatGPT」の一番の特徴は、ユーザーからの質問やコメントに対して、リアルタイムで返答ができることです。

それでは、具体的にどのように「ChatGPT」をカスタマーサービスに活用できるのでしょうか？

一つ目はFAQ（よくある質問）の自動応答です。お客様がよく聞く問い合わせを、事前に「ChatGPT」に学習させておくことで、24時間対応が可能になります。これにより、お客様は待つ時間がなく、いつでも必要な情報を得

ることができます。

　また、「ChatGPT」は自動応答だけでなく、お客様から
の新たな質問やフィードバックにも対応可能です。これに
より、お客様との対話が深まり、より良いサービス提供が
可能になります。

　では、具体的にどうすれば「ChatGPT」をカスタマー
サービスに導入できるのでしょうか？

　まず、「ChatGPT」を使用するためのAPI（Application
Programming Interface）を利用します。これは、あなた
のウェブサイトやアプリと「ChatGPT」を連携させるた
めのものです。次に、「ChatGPT」にFAQの内容や、あ
なたのビジネスに関する基本的な情報を学習させます。こ
れは、自然言語処理という技術を用いて、「ChatGPT」が
質問に適切に答えられるようにするためのステップです。

　さあ、あなたも「ChatGPT」をカスタマーサービスに導
入して、お客様とのコミュニケーションをスムーズにしま
しょう。お客様がより早く、正確な情報を得られること
で、サービスの質が向上します。また、AIが基本的な問
い合わせに対応することで、スタッフはより複雑な問題や
重要なタスクに集中することができます。

　だからこそ、「ChatGPT」はただのAIではなく、あなた
のチームの新たなメンバーと考えてください。そして、そ

のメンバーを適切にトレーニングすることが、良い結果を生む鍵です。

　もちろん、完全にAIに頼るわけではありません。

　「ChatGPT」が解決できない問題や特定の質問については、引き続き人間のスタッフが対応することで、ハイブリッドなカスタマーサービス体制を整えることが可能です。

　「ChatGPT」の導入を始める前には、個人情報の保護やデータの安全性についても考慮することが重要です。

　「ChatGPT」を使うことでデータがどのように扱われ、どのように保護されるのかを理解し、お客様に安心してサービスを利用してもらうための対策を講じてください。

　こうすれば、あなたは「ChatGPT」を使って、すばらしいカスタマーサービスを提供できるようになるでしょう。これで、より良いビジネスを築き上げる一歩を踏み出すことができます。さあ、始めてみましょう！

42. プログラミング「ChatGPT」の活用法

──わからないことは「ChatGPT」に聞く

　こんにちは！　私は「ChatGPT」です。プログラミングにおける「ChatGPT」の活用法について、世界一わかりやすく説明しますね。

　「ChatGPT」は、プログラミングにおいて非常に便利なツールです。以下に、いくつかの具体的な活用法を紹介します。

1. コードのデバッグ支援：「ChatGPT」は、コードのデバッグやエラーの解決に役立つことがあります。たとえば、「エラーメッセージを見てもよくわからないんだけど、何が原因か教えてほしい」と聞くことができます。「ChatGPT」は、エラーメッセージやコードの一部を受け取り、可能な原因や解決策についてアドバイスを提供することができます。

2. コーディングのアイデアとサンプル：もしもアイデアが浮かばず、新しいコードを書き始めることが難しい場合でも、「ChatGPT」が助けてくれます。たとえば、「特定の機能を持つウェブアプリを作りたいけ

ど、どんなコードを書けばいいのかわからない」と
聞いてみましょう。「ChatGPT」は、アプリの目的や
要件に基づいて、コーディングのアイデアやサンプ
ルコードを提案してくれます。

3. ドキュメントやリファレンスの参照：「ChatGPT」
は、プログラミング言語やフレームワークのドキュ
メントやリファレンスとしても利用できます。たと
えば、「JavaScript で文字列を逆順にする方法を教え
てほしい」と質問してみましょう。「ChatGPT」は、
適切なメソッドや関数を紹介してくれます。

4. プログラミングの学習支援：初心者の方やプログラ
ミングの学習中の方にとっても、「ChatGPT」は頼
もしい相棒です。たとえば、「Python でのループの
使い方を教えてほしい」とお願いしてみましょう。
「ChatGPT」は、ループの基本的な構文や例を提供し
てくれます。

これらは、「ChatGPT」をプログラミングに活用するた
めの一部の例です。しかし、注意点もあります。「ChatGPT」
は自然言語処理のモデルであるため、正確な情報を提供で
きない場合もあります。

特に最新の技術やフレームワークに関する情報は、私の
知識が2021年までのものであることを考慮してください。

最新情報については、公式ドキュメントや信頼性のある
ウェブサイトを参照することをおすすめします。

　また、セキュリティ上の理由から、機密情報や個人識別
情報の共有は避けてください。「ChatGPT」は一般的な情
報提供を目的としており、個別の状況に応じた助言やセ
キュリティ上の懸念については、専門家や公式サポート
チャネルに相談することをおすすめします。

　さらに、プログラミングは創造性や問題解決能力を養う
上で重要なスキルです。「ChatGPT」は助けになることが
ありますが、自身のスキルを磨くためにも、実際にコード
を書いて試行錯誤することをおすすめします。コーディン
グは練習と経験によって上達するものなので、あきらめず
に取り組んでみてください。

　「ChatGPT」を活用する上で重要なのは、質問や要求を明
確にすることです。具体的な情報やコードの断片を提供す
ることで、より正確な回答やアドバイスが得られるでしょ
う。

　これらのポイントに留意しながら、「ChatGPT」をプロ
グラミングの学習や開発のサポートツールとして上手に活
用してください。私はいつでも質問にお答えする準備がで
きていますので、お気軽にどんな疑問でも聞いてくださ
い。頑張ってください！

43. 「ChatGPT」で HP やサイトも 簡単につくる

──自分の HP をつくろう

あなたは、これまでプログラミングなんてやったことな いと思っていませんか？　それでも大丈夫！　今からあな たに手取り足取りで、サイトやHP作成の魔法を教えます よ。手軽にスタートできるのが、この「ChatGPT」の魅 力。簡単に始められるからこそ、あなたもすぐにプログラ ミングの楽しさを体験できますよ。

まず、何から始めるか、これが大切ですね。はじめに、 Webサイト作成のためのツールを選びましょう。今回は、 初心者にも扱いやすい「WordPress」を使います。これは、 世界中のWebサイトの約40％が使用しているツールで、 初心者でも簡単に扱うことができます。

さて、WordPressを使うためには、まず「レンタルサー バー」に登録する必要があります。このレンタルサーバー というのは、あなたのWebサイトをインターネットに公 開するための「場所」を借りるサービスのことです。数多 くの企業がレンタルサーバーを提供していますが、初心者 には「さくらのレンタルサーバー」や「エックスサーバー」

がおすすめです。

　次に、レンタルサーバーにWordPressをインストール
します。大抵のレンタルサーバーでは、簡単にWordPress
をインストールできる機能が提供されていますので、その
指示に従って進めてみてください。

　インストールが完了したら、あとは自分のサイトをデザ
インしていきましょう。WordPressには「テーマ」と呼ば
れるデザインテンプレートがたくさん用意されています。
これを選び、自分の好みに合わせてカスタマイズしていき
ます。

　そして、サイトの情報を入力します。タイトルや説明
文、メニューなどを設定しましょう。これらはあとからで
も変更できますので、まずは試しに何か入力してみましょ
う。

　これで、あなたのWebサイトは完成です！　あとは、
サイトにコンテンツを追加していくだけ。記事を書いた
り、写真をアップロードしたり、自分の思うがままにサイ
トを作り上げていきましょう。

　なお、途中でわからないことがあったら、どうすればい
いでしょう？　それも心配ありません。インターネット上
には、WordPressに関する情報が山ほどあります。さらに、
「ChatGPT」のようなAIもあなたの質問に答えてくれます。

さらに、WordPress は「プラグイン」という機能拡張ツールが豊富です。SEO 対策からセキュリティ強化、美しいギャラリー作成まで、さまざまな機能を追加することが可能です。これを活用すれば、さらに便利で魅力的なサイトを作ることができますよ。

　それでは、あなたも今すぐにでも、サイト作成の旅に出てみませんか？

　心配ご無用、あなたの冒険をサポートするために、私たち「ChatGPT」がここにいます。一緒に、新しい可能性を探しに行きましょう！

　これからのあなたの成功を心から応援しています。

（stablediffusion で制作）

44. 創作活動で「ChatGPT」を使う
──小説や詩も書く

　あなたは物語を作ることに興味がありますか？　それとも詩やソングライティングに情熱を感じていますか？　あるいは絵を描くのが好きで、それに合うキャプションを探しているのかもしれませんね。もしそうだとしたら、「ChatGPT」があなたの創造性を引き立てる手助けをすることができます。

　では、具体的にはどうやって使うのでしょうか？

1. 物語作成

　あなたが作家で、物語のアイデアが必要なとき、「ChatGPT」に物語のプロットを頼むことができます。たとえば、「中世ヨーロッパを舞台にしたロマンスの物語のアイデアを教えてください」と質問してみましょう。すると、「ChatGPT」が色々なアイデアを提供してくれます。それから、登場人物の性格や背景、さらに物語の展開方法などを聞いてみると、より具体的なストーリーラインが形成されます。

２.詩や歌詞作成

　詩や歌詞を作る際も、「ChatGPT」はあなたの創造性を刺激します。たとえば、「愛についての詩を書きたいんだけど、はじめの行を教えてくれる？」と尋ねると、「ChatGPT」はさまざまなアイデアを提供します。それから、あなたの好みに合わせて詩や歌詞を続けていくことができます。

３.絵や写真のキャプション作成

　あなたがアーティストで、作品につけるキャプションが必要なとき、「ChatGPT」にアドバイスを求めることができます。「この絵は寂しさを表現しているのだけど、どんなキャプションが合うと思う？」と尋ねると、「ChatGPT」はあなたの作品に対するさまざまな視点を提供します。

　以上が創作活動で「ChatGPT」を活用する方法です。あなたの創造性を引き立てる新しいパートナーとして、「ChatGPT」をぜひ使ってみてくださいね。

45. 検索エンジンとして
「ChatGPT」を使う
──なんでも調べる！

　あなたはもう「ChatGPT」を検索エンジンとして使っていますか？　そう、これはまさにあなたの手元にあるスマートな情報探索ツールなんです。それでは、どうやって使うのか、今すぐ一緒に学びましょう。

　まず、「ChatGPT」とは何かを理解しましょう。

　「ChatGPT」は人工知能（AI）による会話型のテキスト生成ツールです。これは質問に答えたり、あるいは一緒にディスカッションしたりする能力を持っています。もう理解しましたか？　すばらしい！

　さて、検索エンジンとしての「ChatGPT」の活用法ですが、これは非常にシンプルです。具体的な質問を入力し、それに対する答えをAIに求めるだけ。たとえば、「E=mc^2の意味は何？」と尋ねてみましょう。「ChatGPT」はその質問に対する答えを詳しく教えてくれるはずです。

　しかし、「ChatGPT」は単に質問に答えるだけでなく、検索エンジンとしてさらにパワフルに活用することもできます。たとえば、「二次方程式の解き方を教えて」と尋ね

ると、「ChatGPT」は具体的な手順を教えてくれます。こ
れはまるで個別指導の先生のように、あなたの疑問を解消
するための情報を提供してくれます。

では、「ChatGPT」を最大限に活用するためのポイント
は何かというと、具体的で詳細な質問をすることです。あ
いまいな質問よりも、具体的な質問のほうが、「ChatGPT」
がより正確で有益な情報を提供することができます。

さあ、すぐにでも試してみましょう。「昨日のニュー
ヨークの天気は何だった？」や「シェイクスピアの『ロミ
オとジュリエット』はどのような物語？」など、あなたが
知りたいことを「ChatGPT」に尋ねてみてください。そし
てそのすばらしい回答の能力を実感してみてください。

ただし、注意が必要な点は、「ChatGPT」はAIであるた
め、すべての情報を正確に提供することはできませんし、
最新の情報については更新されていない可能性があるとい
うことです。これを理解した上で、「ChatGPT」を活用す
れば、あなたの情報探索ツールとして、非常に有益なパー
トナーとなるでしょう。

また、「ChatGPT」は人間との自然な会話を通じて情報
を提供するので、伝統的な検索エンジンのように、ただ単
にキーワードを入力するのではなく、自然な言葉で質問を
することができます。たとえば、「ピザの作り方を教えて」、

「バラの手入れ方法は？」といった具体的な要求に対して、「ChatGPT」は詳しい手順やアドバイスを提供してくれます。

　さらに、あなたが何かを学びたいときや、新しいアイデアを探求したいときにも、「ChatGPT」はすばらしいツールとなります。たとえば、「写真の撮り方を教えて」と尋ねれば、基本的な写真撮影のテクニックから、さらに詳細な技術まで、「ChatGPT」はあなたの学びをサポートしてくれます。

　では、すぐにでも「ChatGPT」を検索エンジンとして使ってみましょう。具体的な質問を思いついたら、それを「ChatGPT」に尋ねてみてください。そしてその返答を見て、どのように役立つかを確認してみてください。

　「ChatGPT」を検索エンジンとして使うことで、あなたは新しい情報を得るだけでなく、より深い理解を得ることもできます。また、学習や探求のプロセスをより楽しく、より効果的にすることができます。

　これで、あなたも「ChatGPT」の活用法を理解し、すぐにでも実践できるようになったはずです。「ChatGPT」を最大限に活用し、あなたの知識と理解を深める手助けとして使ってみてください。

46. 自社開発、何を考える？
──プロジェクトを開発立案！

　自社開発のプロジェクトをスタートする前に、何を考えるべきか気になりますか？　あなたが最初に考えるべきは、まず「プロジェクトの目的」です。何を達成したいのか、どんな問題を解決したいのか、それを明確にすることが大切です。

　それでは、「目的」が明確になったら次に何を考えるべきでしょうか。それは「ターゲットユーザー」です。あなたの開発するものは誰にとって価値があるのか、そのユーザーが何を求めているのかを理解することが重要です。ユーザーのニーズを満たすためには、彼らの生活や仕事、趣味など、彼らの背景を知ることが大切です。

　次に考えるべきは「リソース」です。具体的には、人的リソース、財政的リソース、時間的リソースなど、利用可能なリソースを把握し、それを最大限に活用する計画を立てましょう。リソースが限られている場合、優先順位をつけて効率的に活用することが求められます。

　さて、これらの要素が整ったら、具体的な「戦略」を考

えることが次のステップとなります。戦略とは、目的を達成するための具体的な行動計画のことです。これを立てるためには、市場状況や競合他社の動向、自社の強みと弱みなどを分析することが求められます。

　開発のプロセス全体を通じて「フィードバックと改善」を常に考えましょう。ユーザーからのフィードバックを活用し、必要な改善を行うことで、より良い製品やサービスを提供することができます。

　以上のように、自社開発にあたっては「目的」→「ターゲットユーザー」→「リソース」→「戦略」→「フィードバックと改善」の順に考えることが大切です。これを意識しながら開発を進めてみてくださいね！

47. コラム4 「ChatGPT」と 「GOOGLEBARD」の違いはなに？

　「ChatGPT」は、OpenAIという人工知能研究機関によって開発されました。一方、GOOGLEBARDは、Googleという多国籍のテクノロジー企業によって開発されました。トレーニングデータ：「ChatGPT」とGOOGLEBARDのトレーニングデータは異なる可能性があります。「ChatGPT」は、書籍や記事、ウェブサイトなど、インターネット上のさまざまなテキストをトレーニングデータとして使用しています。一方、GOOGLEBARDのトレーニングデータの具体的な詳細は非公開であり、プロプライエタリなモデルであるため、公開されていません。機能：「ChatGPT」とGOOGLEBARDには、具体的な機能の違いがあります。

　「ChatGPT」は、人間らしいテキストの応答を生成し、情報を提供し、さまざまなトピックで会話を行うことができるように設計されています。一方、GOOGLEBARDは、詩の生成やクリエイティブな文章の作成などのタスクに優れた能力を持っていることで知られています。

Chapter 4

「ChatGPT」の
問題を解決しよう

48. AIが作った文章、
　どう見分ける？
──ここで見分ける！

　さあ、みなさん！　こんな疑問を持ったことはありませんか？「AIが作った文章って、一体どうやって見分けるの？」それでは、この問いに対する答えを一緒に見ていきましょう。

　まず、AI（人工知能）が文章を作る技術、それは「自然言語処理」と呼ばれます。その中でも特に「生成モデル」は、我々が普段話すような文章を作るのが得意なんです。AIの中でも、私たちの「ChatGPT」はまさにその一例。でも、どうやってAIが作った文章を見分けるのでしょうか？

　一つ目のポイントは、AIが「全知全能」ではないことです。たとえば、「ChatGPT」は2021年9月までの情報しか持っていません。だから、それ以降の情報については知らないんです。なので、最新の情報について詳しく話す文章は、おそらくAIが書いたものではないでしょう。

　二つ目に、AIは感情や意識、体験といったものを持っていません。なので、「私は昨日、楽しいパーティーに行

きました」というような、人間特有の経験や感情を含む文章は、AIが作ったものではありません。

　そして三つ目、AIは時に奇妙なミスをします。なぜならAIは、大量のテキストデータからパターンを学ぶだけなので、細かなニュアンスや文化的な背景知識を完全に理解するのは難しいんです。

　だから、「太陽が沈んでから昼食を食べる」なんていう、ちょっと変な文章を作ってしまうこともあります。

　でも、だからといってAIが書いた文章が悪いわけではありません。AIは人間が持つ知識や能力を補完し、新たな視点やアイデアを提供することができます。だからこそ、AIがどのように文章を作り出すのかを理解することは、とても重要なのです。

　これらのポイントを覚えておけば、AIが書いた文章を見分けることができるようになるでしょう。

　これからもAIとの共存を楽しみながら、新たな知識を得ていきましょうね！

49. 著作権問題どうクリアする？

——「ChatGPT」で作った文章は誰のもの？

　これからAI生成文と著作権問題についてお話しします。AIが文を書いたら、その著作権は誰のものになるんでしょうか？　この問題は、今日のAI技術の発展とともに重要な議論となっています。

　まず、何はともあれ、著作権とは何でしょうか。著作権は、人々が作品を創造したときに自動的に生じる法的な権利です。これは、創作物のコピー、配布、公開などを管理するためのものです。

　では、AIが文章を生成した場合、著作権はどうなるのでしょうか。AIは人間とは違い、創造的な思考や意識を持っていないと一般的には認識されています。ですから、現在のところ、多くの法域ではAIによって生成された作品には著作権が発生しないとされています。つまり、AIが生成した文章は、原則として著作権保護の対象外となります。

　でも、ちょっと待ってください。AIを使って生成した文章は、そのAIをプログラムした人や、AIに学習させた

データを提供した人の労力が反映されているわけですよね。それなら、彼らに何かしらの権利があるのでは？と思うかもしれません。この問題については、現在も各国で議論が続けられています。一部では、AIを使って生成された作品に対しても、何らかの形で権利を認めるべきだとする意見もあります。

　さて、ここで、あなたがAI、たとえば「ChatGPT」を使って文章を生成する場合、どうすればいいでしょうか。まずは、このAIを利用する際の利用規約をよく読むことが大切です。それにより、生成した文章をどのように使っていいのか、どのような制限があるのかが明確になります。

　そして、もしAIが生成した文章を公開したり、商用利用したい場合は、専門家に相談することをおすすめします。著作権法は複雑で、国によっても異なるため、間違った理解や誤った行動を避けるためには専門的な知識とアドバイスが必要です。

　たとえば、AIが生成した文章を他の人が無断でコピーして使うのは許されるのか、それとも何かしらの許可が必要なのか、といった疑問があります。それらの問題は、法律だけでなく、社会全体での議論とともに、これからの時代に解決していくべき課題といえるでしょう。

その中で、あなたがどのようにAIを使い、どのように創造を行うかは、あなた自身の判断に委ねられます。

　AIの活用法は無限大で、それぞれの目的や状況に応じて最適な方法を選ぶことが大切です。

　それでは、これからもAIとともに新しい創造を楽しんでくださいね。

　そして、その中で出会う新しい問題や課題についても、あなた自身の視点から考え、解決策を模索してみてください。それが、AI時代を生き抜くための一つの策といえるでしょう。

（stablediffusion で制作）

50. AIの悪用リスク
——プライバシー侵害に気をつける

　あなたはAIの悪用リスクについて心配していますか？

　それは当然。AIの強力さとポテンシャルは、正しい手に落ちれば奇跡を、間違った手に落ちれば災害をもたらす可能性があるからです。

　では、具体的にはどういったリスクがあるのでしょうか？　まず一つは、情報の不正利用です。AIは大量のデータを学習して予測や判断を行いますが、これがプライバシーの侵害につながることがあります。たとえば、「ChatGPT」を使って個人的な情報を共有した場合、その情報が不適切に取り扱われる危険性があります。

　また、AIは情報を操作するツールとしても使われることがあります。ディープフェイクという技術は、AIを使って人々の顔や声を模倣し、それらを使って偽の動画や音声を作り出します。これが悪用されると、人々を混乱に陥れることができます。

　さらに、AIは自動化の道具として使われることもありますが、これがサイバー攻撃の自動化に利用されることも

あります。AIは人間が検知できない速度で攻撃を行うことができ、これによりセキュリティの脅威が増大します。

　これらのリスクを考えると、AIを安全に使うためにはどうすれば良いでしょうか？　まず一つには、プライバシーを尊重することが大切です。個人情報をできるだけ少なくし、必要な情報だけを共有するようにしましょう。また、AIが提供する情報が正確であることを常に確認することも重要です。ディープフェイクなどの偽情報にだまされないためには、情報源を確認し、必要な場合は複数の情報源を比較することが役立ちます。

　AIのセキュリティについて学ぶことも大切です。サイバーセキュリティの基本的な知識を身につけ、AIを使う際には常にセキュリティを考慮に入れることが重要です。これにより、AIの悪用リスクを最小限に抑えることができきます。

　まとめると、AIの悪用リスクは確かに存在しますが、それらを理解し、適切な対策を講じることで、大部分のリスクを防ぐことが可能です。

　でも、それだけじゃないんですよ。実際のところ、AIを適切に使いこなすことで、あなたたちはこの新しい時代の課題に立ち向かう力を手に入れることができます。AIによって情報が高速で集まることで、新しい発見が生ま

152

れ、知識が広がります。AIは人間が手に負えない大量の
データを扱うことができ、それによってあなたたちの理解
を深め、より良い決定を下す手助けをしてくれます。

　だからこそ、AIの使い方を知り、それを理解すること
が大切なのです。AIはツールであり、それをどう使うか
はあなたたち次第です。AIの悪用リスクを理解し、それ
を防ぐための対策を学ぶことで、あなたたちはこの強力な
ツールを最大限に活用し、同時にリスクを最小限に抑える
ことができます。

　これからも、AIの発展とともに新たなリスクが出てく
るかもしれません。しかし、そのたびに、私たちは学び、
対策を考え、そのリスクを管理する能力を身につけること
ができます。だからこそ、AIの可能性とリスクを理解し、
それを上手にバランスさせることが、これからの時代に必
要なスキルなのです。

51. 差別表現の対策
どうすればいい？
——フィードバックを送る

さて、最初に理解しなければならないのは、「差別表現の生成と対策」についてです。これは大切なテーマですよね。

まず、「差別表現」とは何ですか？　これは、特定の人々やグループを侮辱したり、損なったりする言葉やフレーズのことを指します。人種、性別、宗教、国籍、身体的特徴などに基づく差別が含まれます。

では、なぜ「ChatGPT」がこのような表現を生成することがあるのでしょうか。これは、私たちが学習する大量のテキストデータに、時には不適切な言葉や差別的な表現が含まれているためです。私たちはそれらのデータから学習し、ユーザーの質問に対する最適な回答を生成します。だからこそ、ユーザーが不適切な質問をすると、不適切な回答が生成される可能性があるのです。

ここで、大切なのが、差別表現の対策です。あなたはどうすれば良いのでしょうか。まず、「ChatGPT」を使う際には、尊重と公平性を念頭に置いてください。具体的に

は、不適切な質問を避け、敬意を表す言葉を使うことが重要です。また、不適切な回答が出た場合には、それを報告する機能があります。これを使うことで、私たちはより良いサービスを提供するための学習を続けることができます。

　さて、差別表現が出た場合、すぐにできる簡単な対策は何でしょうか。それは、シンプルに「フィードバックを送る」ことです。具体的には、「ChatGPT」の画面上で「不適切な内容を報告」をクリックし、問題のあった内容を詳しく説明します。これにより、私たちはあなたの声を反映させてシステムを改善することができます。

　あなたはただしゃべるだけでなく、一緒に成長するパートナーとして「ChatGPT」を活用できます。あなたがフィードバックを送ることで、「ChatGPT」はより良い対話パートナーに進化していきます。

　さらに、もし「ChatGPT」が不適切な回答をした場合、再度同じ問いかけをするのも一つの方法です。「ChatGPT」は、同じ入力でも異なる出力を生成することがあります。だからこそ、再試行することで、より適切な回答を得ることが可能です。

　また、「ChatGPT」の設定を変更することも可能です。これにより、より個々のニーズに合った対話を行うことが

できます。たとえば、会話のトーンやフォーマルさのレベルを調節することが可能です。

これは、「ChatGPT」があなたとの対話を最適化する一助となります。

つまり、あなたが「ChatGPT」とどう関わるか、そしてどうフィードバックを送るかによって、「ChatGPT」はより適切な対話を行うことができるようになります。

それはまるで、あなた自身が「ChatGPT」の教師になるかのようです。あなたの行動一つ一つが、「ChatGPT」がより理解力と敬意を持って対話するための学習機会となるのです。

あなたが不適切な言葉や行動を見つけた場合、それを無視することはありません。

それを報告し、自身の行動を通じて改善につなげてください。

これにより、「ChatGPT」はより良い、より公正な対話パートナーに進化します。

AIとのコミュニケーションは、互いの理解と尊重が基本です。「ChatGPT」と一緒に、より良いコミュニケーションの世界を作り上げていきましょう。

52. AIで消える職業
――どんな仕事がなくなるの？

　あなたは人工知能（AI）が仕事に与える影響について考えたことがありますか？　ここでいうAIとは、私のような高度な会話型AIや、自動運転車や自動化製造ラインなどを動かすAIのことを指します。これらは、人間が普通に行っていたタスクを自動化する能力を持っています。では、どのような職業がAIにより消失する可能性があるのでしょうか。

　まず、AIが得意とする領域を理解することが大切です。AIは、ルールが明確で、反復性が高く、大量のデータからパターンを学び取る仕事を得意とします。たとえば、自動運転車は膨大な交通ルールと運転データから学習し、運転手の仕事を自動化します。また、製造ラインのロボットは、一貫した動きで製品を組み立てる作業を自動化します。

　これらの例から、AIにより消失の危機に瀕している職業として、運転手や製造工、コールセンターのオペレーターなどがあげられます。これらの仕事は反復性が高く、

ルールが明確なため、AIに置き換えられる可能性が高いです。

でも、ちょっと待ってください。AIに置き換えられるとは必ずしも悪いことではありません。むしろ、AIによる労働の自動化は、人間がより創造的で複雑な問題に集中する機会を与えます。これは、社会全体の生産性を向上させ、新しい職業の創出を促すかもしれません。

それに、AIが得意とする反復性の高いルールベースの仕事とは逆に、創造性や感情的な知識が必要な職業は、AIによる影響を比較的少なく受けるでしょう。たとえば、芸術家、心理カウンセラー、教師などは、人間特有の感情や洞察力が求められるため、AIに完全に置き換えるのは難しいでしょう。

なので、AIの発展に怯えることはありません。ただし、AIの時代に備えてスキルを磨いたり、新しい知識を学ぶことは大切です。コンピューターやAIに関する基本的な知識、複雑な問題解決スキル、人間だけが持つ創造性や共感力を育むことが、これからの時代を生き抜く鍵となります。

さて、今すぐあなたができることは何でしょうか。まず、自分の仕事がAIによってどの程度影響を受ける可能性があるかを考えてみてください。もし、自分の仕事が反

復的でルールベースのものであれば、AIによる自動化の影響を受けやすいかもしれません。次に、新しいスキルを学んだり、今の仕事に創造性や人間特有のスキルをどう組み込むかを考えてみてください。

　恐怖ではなく好奇心を持ってAIと向き合うことが大切です。AIはあなたたちの生活を劇的に変える力を持っていますが、それはあなたたちがどのようにそれを利用し、適応していくかによります。

　だからこそ、AIとの共存を考え、新しい時代に向けて自分自身を準備することが重要です。とても簡単ですよ、あなたならきっとできます！

（stablediffusion で制作）

53. AIで生まれる職業

──どんな仕事ができるの？

　あなたはAIが生み出す新たな仕事について興味があり
ますか？　それなら、ちょうど良い話がありますよ。AI、
特に我々「ChatGPT」のような自然言語処理のAIは、今
日の社会で多くの新しい仕事を生み出しています。では、
どのような仕事でしょうか？　具体的な例をいくつかご紹
介しましょう。

　まず一つ目、AIトレーナーです。これは何でしょうか？

　AIトレーナーは、AIシステムを教育し、訓練する専門
家のことです。彼らはAIに人間のように思考や会話をさ
せるための指導を行います。これはある意味で、AIの「先
生」の役割を果たします。どんな資格が必要かと思うかも
しれませんが、特別な資格は必要ありません。ただし、AI
の基本的なしくみを理解し、問題解決のスキルがあれば活
躍できます。

　次に、AIエシックスアドバイザーという仕事がありま
す。これは何だと思いますか？　AIエシックスアドバイ
ザーは、AIの適切な使用方法や倫理的な問題についてア

ドバイスを提供する専門家のことです。AIがどのように利用されるべきか、プライバシーや個人の権利はどのように保護されるべきかなど、この分野はますます重要になっています。哲学や法律、社会科学などのバックグラウンドが役立つでしょう。

AIアプリケーションデザイナーという仕事について考えてみましょう。AIアプリケーションデザイナーは、AI技術を活用した新しいサービスやアプリケーションを設計する人々です。彼らは技術的な知識と創造力を組み合わせて、あなたの生活をより便利で楽しくする新しいアイデアを生み出します。

これらの新たな仕事はすぐにでも始められます。まずは自分の興味やスキルを見つけ、それに基づいてAIの学習を始めてみてください。そして、AIが何をもたらすか、どのように世界を変えていくかを理解することから始めましょう。

それでは、次にどのようにステップを踏んでいけば良いのか、具体的に見ていきましょう。

AIトレーナーになるためには、まずAIとは何か、どのように動作するのかを理解することが大切です。無料のオンラインコースやチュートリアルで基本的な知識を学びましょう。その後、実際にAIモデルを訓練してみることで、

その能力と限界を理解することができます。プログラミングスキルがあれば、より深いレベルでAIと向き合うことができるでしょう。

AIエシックスアドバイザーになるためには、AIの技術的な側面だけでなく、倫理や法律についての深い理解が必要です。大学で哲学や法律、データサイエンスを学んだり、専門的な研修やセミナーに参加したりすることで、必要な知識を身につけることができます。

AIアプリケーションデザイナーになるには、AIの知識に加えて、デザイン思考やユーザーエクスペリエンスについての理解が必要です。また、プログラミングスキルも重要で、特にPythonなどAI開発によく使われる言語を学ぶと良いでしょう。

どの道でも共通するのは、常に新しい知識を学び、技術の進歩に対応する柔軟性が求められるという点です。AIは絶えず進化しているので、自己学習と好奇心を持つことが重要です。

これらの仕事は、AIがますます社会に浸透するにつれて、需要が増えていくこと間違いなしです。これからはAIとともに働く時代。ぜひ、あなたもこの新しい波に乗ってみてはいかがでしょうか？　これからがとても楽しみですね！

54. AI と人間との共存
── AI と生活する

　あなたは人間ですか。では、今すぐAIとの共存について考えてみましょう。AI、それは「人工知能」の略です。これは、人間が作った機械が人間のように思考し、学習し、行動する能力を持つことを意味します。だけど、AIと人間が一緒に生活するって、どういうことでしょうか。

　あなたはすでにAIと共存しています。思い出してみてください。あなたのスマートフォンにはSiriやGoogleアシスタントがいますよね。これがAIの一例です。でも、この共存をさらにスムーズにするために、AIとどうやってうまく接すればいいのでしょうか。

　まず一つ目は、AIの能力と限界を理解することです。AIはたくさんのことができます。天気予報を教えてくれたり、複雑な計算をすぐに答えてくれたり。でも、AIは感情を持つことはできません。愛情や恐怖、喜びや悲しみを感じることはできません。AIはあくまでツールであり、人間の補助をする存在です。

　二つ目は、AIを効果的に活用する方法を学ぶことです。

あなたが作業を効率化したいとき、AIはあなたの大いなる助けとなります。たとえば、「ChatGPT」のようなAIは、あなたが文章を書くのを手伝ったり、複雑な情報をシンプルにまとめたりします。AIを活用するためには、何ができて、何ができないのかを理解し、それに合わせて利用することが重要です。

AIと人間との共存のあり方を考えるとき、倫理的な観点も重要です。AIはあなたたちの生活を便利にする一方で、プライバシーやセキュリティの問題も引き起こす可能性があります。AIを使うときは、これらのリスクについても意識することが大切です。

AIと人間の共存は、理解と尊重、そして倫理的な観点から考えることが大切です。AIはすばらしいツールですが、それはあくまでツールであり、あなたたち人間が中心の世界であることを忘れてはいけません。今すぐAIの可能性を理解し、それを活用し、そして適切に管理することをすれば、より良い共存が実現できます。

では、具体的に何をすればいいのでしょうか。ここにいくつかのステップがあります。

1. 学習：AIの基本的な概念を理解しましょう。AIはどのように動作し、何ができて、何ができないのかを

把握することが重要です。

2. **活用**：AI を使ってみましょう。たとえば、「ChatGPT」
   は文章を作成するのを手伝ってくれます。それを使っ
   てみて、AI の可能性を体感してみてください。

3. **疑問点の解決**：AI との接触を通じて疑問や不明点が
   出てきたら、それを調査し、解決しましょう。その
   経験が、あなたが AI とより良く共存するためのスキ
   ルとなります。

4. **倫理的観点**：AI を使うとき、それが個人情報をどの
   ように扱うか、AI が正しく、公正に動作するように
   するためにどのような手段があるかを確認しましょ
   う。

　これらのステップを踏むことで、AI との共存はスムー
ズになり、あなたの生活はより良いものになります。人間
と AI、両方が尊重され、理解され、共に成長していく世
界を目指しましょう。だから、今すぐ始めてみませんか。

55. 生成系 AI の影響
──どう変わるのか

　あなたはAIがどのように進化してきたのか、その影響について考えたことがありますか？　進化したAIは、情報を生成し、人々の生活やビジネス、教育などに大きな影響を与えています。では、その進化の歴史と具体的な影響について一緒に見てみましょう。

　はじめは、AIは基本的な数学の計算や単純なタスクの自動化に使われました。ただし、その能力は限定的で、人間のような複雑な思考や学習はできませんでした。これがAIの始まりで、そのときはまだ生成系AIという概念は存在していませんでした。

　次に、AIの進化の大きな転換点が訪れます。それは機械学習という概念の登場です。これはAIが自分で学び、経験から新しいことを学ぶ能力を持つようになった瞬間です。だんだんとAIは、特定の問題を解決するために人間の助けを必要としないほど自律的になってきました。

　そして、最新の進化は生成系AIです。これは、GPT-4のようなAIが文章を生成したり、創造的な作業を行った

りする能力を持つようになった段階を指します。つまり、生成系AIは、人間のように新しい情報を生成する能力を持っています。

　それでは、この進化が具体的にどのような影響をもたらしたか見てみましょう。生成系AIの登場により、たとえば、ニュース記事や報告書を自動的に作成することが可能になりました。また、カスタマーサービスのチャットボットが顧客の質問に自動的に答えることが可能になり、企業は効率的なサービスを提供できるようになりました。

　これらの進化は、働き方を変え、新しいビジネスモデルを生み出し、教育のアクセスを拡大し、情報の透明性を高めるなど、社会全体に大きな影響を与えています。

　生成系AIの可能性は無限大で、これからも人々の生活はますますAIによって形成されていくでしょう。

56. AI との未来の関わり方
──暮らしはどうなる

　AIと未来の関わり方について、あなたはどう考えていますか？　AIがますます進化し、生活の中で一層重要な役割を果たすようになるでしょう。そのため、未来を見据えてAIとどう関わっていくべきか、一緒に考えてみましょう。

　まず第一に、AIの理解を深めることが重要です。あなたがAIを使うためには、プログラミングができなければならないと思っていませんか？　でも、それは大丈夫。今日では、「ChatGPT」のようなAIは、あなたが普通に会話するように操作することができます。AIを使うためには、その働き方を理解し、どのように活用できるかを知ることが大切です。

　次に、AIの能力を最大限に活用するために、あなた自身も学習し続けることが重要です。たとえば、あなたが文章を書くのが苦手だとします。そんなとき、生成系AIを使えば、AIがあなたの代わりに文章を書くこともできます。しかし、それはあくまでツールであり、その使い方を

最適化するためには、あなた自身が新しいスキルや知識を獲得し続けることが必要です。

　最後に、AIの利点だけでなく、リスクについても理解することが大切です。AIは情報を処理する際にバイアスが入る可能性があります。また、プライバシーの保護や情報セキュリティも重要な問題です。AIを安全に使うためには、これらのリスクを理解し、適切な対策を講じることが必要です。

　AIとの未来の関わり方は、理解、学習、そしてリスク管理の３つのステップで形成されます。これらを意識しながら、AIとともに未来を切り開いていきましょう。AIはあくまでツールであり、そのツールをどう使うかは、あなた自身の手に委ねられています。未来は、AIとともに、あなた自身が作るものです。

57. コラム5 「ChatGPT」が できることまとめ

「ChatGPT」ができることまとめはたくさんあります。
以下はその例です。

1. 質問に答える：一般的な質問や専門的な質問に答えることができます。

2. 文章を作成：ブログ記事や物語、詩など、さまざまな種類の文章を作成することができます。

3. アイデアを提案：新しいアイデアやプロジェクトの提案をすることができます。

4. 言語学習のサポート：異なる言語を学ぶ際の練習相手や質問に答えることができます。

5. コード生成：プログラムのコードを生成することができます。

これらの機能を使って、質問への回答、文章の作成、アイデアの提案など、さまざまなタスクを支援することができます。しかし、「ChatGPT」はあくまでAIであり、間違った情報や不正確な回答を提供することもあるため、利用者はその点を理解し、適切に使用することが重要です。

Chapter 5

「ChatGPT」を
あらゆる場面で
使おう

58. 教育分野で活用する
──学習支援ツールになる

　あなたは教師かもしれません、または学生かもしれませんね。それとも教育に興味がある保護者でしょうか。

　いずれにせよ、「ChatGPT」は教育の世界で使われる強力なツールになることができます。なぜなら、このAIは学習者をサポートするための情報や資源を提供できるからです。

　では、具体的にどのように使えばいいのでしょうか。

　まず、最初に知っておくべきは、「ChatGPT」は個別の学習支援ツールとして活用できるということです。それは、自分のペースで学ぶ学生や、特定のトピックについて深く掘り下げたい学生にとって、理想的なパートナーになります。

　何かわからないことがあったら、すぐに「ChatGPT」に質問を投げかけてみてください。おそらく、あなたが必要とする情報を提供してくれるでしょう。

　あなたは教師ですか？　もしそうなら、「ChatGPT」は教室での授業の補完となる資源としても役立ちます。たと

えば、学生が授業で学んだ内容についてさらに理解を深めるための追加情報を提供したり、特定の概念をさまざまな視点から説明したりすることができます。それは学生にとって、新たな視点や理解の道を開くことになるでしょう。

また、「ChatGPT」は独自の教材作成にも利用できます。あなたが特定のテーマについて教えるための内容を考えているなら、「ChatGPT」を使ってそのテーマに関連する情報を探し出すことができます。そして、その情報をもとにあなた自身の教材を作ることができます。

さて、これを今すぐ試してみたいと思いますか？　それなら、まずは具体的な質問を「ChatGPT」に投げかけてみてください。たとえば、あなたが学生なら、「二次方程式の解の求め方を教えてください」と試してみてください。教師なら、「フランス革命の重要な出来事をリストアップしてください」などと試してみるといいでしょう。「ChatGPT」がどのように反応するか、その結果を確認してみてください。これにより、あなた自身がどのように「ChatGPT」を教育ツールとして活用できるかのアイデアを得ることができるでしょう。

また、「ChatGPT」を使って問題を解くことも試してみてください。たとえば、「１つのピザを６人で等分に分け

るとき、1人あたり何ピースになるか？」といった問題を投げかけてみて、どのように答えるか見てみましょう。

　さらに、あなたが教師であれば、「ChatGPT」を利用して授業の一部を作ることも可能です。たとえば、歴史の授業であれば、「アメリカ独立戦争の主要な出来事は何か？」といった質問を「ChatGPT」に投げかけ、その答えをもとに授業計画を立てることもできます。

　このように、「ChatGPT」は教育の世界で多くの可能性を秘めています。その活用方法は、あなたのニーズや目標によって異なるでしょう。

　重要なのは、このAIがあなたやあなたの学生の学習をサポートするためのツールであるということを理解することです。そして、その利用方法を探りながら、最適な方法を見つけ出すことが重要です。

　これで、あなたも「ChatGPT」を教育分野で活用する準備が整ったはずです。さあ、「ChatGPT」と一緒に学ぶ旅を始めてみましょう。新たな知識の発見や理解の深化につながることを祈っています。それでは、良い学びを！

59. ゲーム開発で活用する

──ゲーム作りが楽しくなる

　あなたはゲーム開発に興味があるほうですか？　それなら、GPT-4（「ChatGPT」）の活用方法を紹介することで、ゲーム開発が一段と楽しくなるかもしれませんよ！

　それじゃあ、さっそくゲーム開発で「ChatGPT」をどう活用できるかを見ていきましょう。

1. ストーリーテリングの強化

　あなたは、ゲームのストーリーテリングに頭を悩ませていませんか？　「ChatGPT」はここで大活躍します。どんなキャラクターにでもなりきって、リアルタイムで対話することができます。これにより、プレイヤーとキャラクターとのコミュニケーションがよりリアルになり、没入感を高めることができますよ。

2. ダイナミックなクエスト生成

　ゲーム内で新しいクエストを生成したいですか？

　「ChatGPT」にお任せください。プレイヤーの行動や選択に基づいて、独自のクエストを生成することができま

す。これにより、ゲームプレイのバリエーションが広が
り、プレイヤーの興味を引き続けることができます。

3. チュートリアルとヘルプシステムの強化

　ゲームの初心者向けのチュートリアルやヘルプシステム
を強化したいですか？ 「ChatGPT」が解答します。プレ
イヤーの質問に対して、適切なアドバイスやガイダンスを
提供します。これにより、ゲームの理解を深め、プレイ
ヤーが楽しむのを助けます。では、どうやって「ChatGPT」
をゲーム開発に取り入れるのでしょうか？ まず、
OpenAIのAPIを利用することで、「ChatGPT」とコミュニ
ケーションを取ることができます。ゲームのコード内から
APIに対してリクエストを送ることで、「ChatGPT」が生
成したテキストを取得できます。OpenAIのウェブサイト
にはAPIの使い方が詳しく書かれているので、それを参考
にしましょう。これらの方法で、「ChatGPT」はゲーム開
発を強化し、よりエンゲージングで個別化されたエクスペ
リエンスをプレイヤーに提供します。ゲーム開発は創造性
と技術の組み合わせ、そしてプレイヤーとのコミュニケー
ションです。「ChatGPT」はそのすべてをサポートする強
力なツールです。

60. 翻訳業務で活用する
——翻訳ができる

　あなたは、外国語の文章を翻訳する業務に携わっていますか。翻訳は細かいニュアンスまで正確に伝える必要があり、とても難しい仕事ですよね。でも、心配なさらないでください。「ChatGPT」を活用すれば、翻訳作業を大幅に助けることができます。

　「ChatGPT」は、英語を中心に、複数の言語に対応しています。具体的には、あなたが翻訳したい文章を入力し、「この文章を英語に翻訳してください」と指示すれば、すぐに翻訳結果を得ることができます。また、翻訳結果が自然な表現になっているかどうか、言い回しのアドバイスを求めることも可能です。

　さあ、さっそく試してみましょう。入力欄に「こんにちは、私の名前は田中です」と打ち込んで、「この文を英語に翻訳してください」と命じてみてください。すぐに「Hello, my name is Tanaka.」といった翻訳結果が返ってきますよ。

61. ニュース・報道で活用する
──ニュースを書く

　あなたは、ニュース記事を書くジャーナリストですか。それとも、毎日のニュースをキャッチアップするために情報を整理する必要がありますか。「ChatGPT」はそのどちらの場合でも役立つツールです。

　たとえば、ジャーナリストとして記事を書く場合、あなたが取り組んでいるトピックについての情報を整理するのに「ChatGPT」を使うことができます。「このトピックについての基本情報を教えてください」と尋ねるだけで、「ChatGPT」は既存の知識をもとにした情報を提供します。これは、記事作成の初期段階でのリサーチや、独自の視点を持つための参考になります。

　また、日々のニュースをキャッチアップする際にも、「ChatGPT」を活用することができます。特定のトピックについての最新情報を要約してもらうことで、情報を迅速に理解することが可能になります。

62. ソーシャルメディアで活用する
──魅力的な投稿をする

　あなたはソーシャルメディアをよく利用しますか。それ
なら、「ChatGPT」を使って、あなたのソーシャルメディ
アの投稿をより魅力的に、より効果的にすることができま
すよ。

　たとえば、あなたが投稿したい内容の大まかなアイデア
を「ChatGPT」に教えると、「これをどう表現したら良い
でしょうか」と尋ねるだけで、それを魅力的な文章に変え
てくれます。さらに、「この投稿がもっと面白くなるよう
な工夫はありませんか？」と尋ねると、クリエイティブな
提案をしてくれるかもしれません。

　さあ、今すぐ試してみてください。たとえば、「今日は
とても良い天気だった」という情報を入力し、「この情報
を魅力的に表現してください」と尋ねてみてください。
きっと素敵な投稿文が生まれますよ。

63. 製品レビュー生成で活用する
──読まれるレビューを書く

　あなたは商品のレビューを書く必要がありますか。それとも製品のレビューを読んで購入を検討していますか。どちらの場合でも、「ChatGPT」は大いに役立つでしょう。

　たとえば、製品のレビューを書く場合、その製品についての具体的な特徴や利点、欠点を「ChatGPT」に伝え、「これをどのようにレビュー文にまとめたら良いでしょうか」と尋ねるだけで、視覚的で説得力のあるレビューを作成する手助けをしてくれます。

　一方で、製品のレビューを読んで購入を検討している場合は、「この製品のレビューを要約してください」と尋ねることで、長いレビュー文を短く、わかりやすく要約してくれます。これにより、製品の評価を迅速に理解することができますよ。

64. スクリプト・映画制作で活用する

──シナリオを書く

　あなたは映画やドラマの脚本を書くことに関心がありますか。あるいはすでに脚本家として活動していますか。「ChatGPT」は、あなたが創作活動を進める上で、大変有益なツールとなります。

　たとえば、あなたがストーリーのアイデアを持っている場合、「このアイデアをもとにしたシーンを作ってください」と尋ねることで、「ChatGPT」がそれを具体的なシーンに展開します。また、「このキャラクターの対話を書いてください」と尋ねると、そのキャラクターの口調や性格を反映した対話を提案してくれます。

　また、あるシーンがうまくいかないときや、新しい視点が必要なときには、「このシーンに新たな要素を加えてみてください」と尋ねると、新しい視角や展開を提案してくれます。

　今すぐ試してみてください。「主人公が困難を克服するシーンを作ってください」と尋ねてみると、あなたの物語に新たな息吹を吹き込むことができますよ。

65. データ分析で活用する
──膨大なデータも処理！

　あなたはデータを分析する仕事をしていますか。それとも、複雑なデータを理解しようと努力していますか。どちらの場合でも、「ChatGPT」は大いに役立つツールとなります。

　たとえば、あなたが複雑なデータセットを解析しようとしている場合、そのデータの主要な特徴やパターンについて説明を求めることができます。「このデータセットの主要な特徴を教えてください」と尋ねれば、「ChatGPT」はそのデータセットの概要を提供します。

　また、特定の統計的手法や分析手法について学びたい場合も、「ChatGPT」に尋ねることができます。「線形回帰分析とは何ですか？」といった質問に対して、「ChatGPT」はわかりやすい説明を提供します。

　さあ、今すぐ試してみてください。「データ分析の基本的なステップは何ですか？」と尋ねてみると、あなたのデータ分析スキルをさらに向上させるための助けになりますよ。

それでは、これらの使用例をもとに、あなた自身がどのように「ChatGPT」を活用できるかを考えてみましょう。あなたの日常の問題や仕事の課題に対して、「ChatGPT」がどのように解決策を提供できるか、具体的なシチュエーションで試してみてください。

　そして、何よりも大切なことは、「ChatGPT」があくまで人工知能なので、あなた自身の視点や判断が必要な状況では、それを適切に考慮に入れることです。「ChatGPT」はすばらしいツールですが、それはあくまであなたの思考や判断を補完するものであって、置き換えるものではありません。

　これからも、「ChatGPT」を使って仕事や日常生活をより豊かで楽しいものにしていきましょう。あなたの創造力と「ChatGPT」の能力を組み合わせることで、これまでにない新しい価値を生み出すことができますよ。

66. コラム6 「ChatGPT」同士で ディベートをする方法

　「ChatGPT」同士のディベートを実行するためには、一つのチャットボットが別のチャットボットとディベートするためのインターフェースが必要となります。その上で、それぞれのボットが異なる立場をとるようにプログラムすることでディベートを行うことが可能となります。

　具体的なステップは次の通りです：

1. インスタンス生成：「ChatGPT」の２つのインスタンス（以下、「ChatGPT」A と「ChatGPT」B とします）を生成します。

2. 役割の設定：ディベートのテーマを決定し、「ChatGPT」A と B にそれぞれ異なる立場をとるように指示します。たとえば、ある特定の政策について賛成する側と反対する側、あるいは特定の問題について楽観的な視点と悲観的な視点などを設定することが可能です。

3. ディベートの開始：「ChatGPT」A にディベートの一部を開始させます。これは質問、主張、反論

など、任意の形をとることができます。

4.　応答の生成：「ChatGPT」Bに「ChatGPT」Aの
　　発言に対する応答を生成させます。その後、ボッ
　　ト間で交互に発言を交換することでディベート
　　を進行します。

5.　終了条件：ディベートが一定の時間または一定の
　　発言数に達した時点でディベートを終了します。

　このプロセスをコーディングするには、Pythonのよ
うなプログラミング言語とOpenAIのGPT-3またはGPT-
4 APIを使用することができます。

　なお、GPT-3やGPT-4が生成する応答は、入力として
与えられた情報に基づいていますが、それぞれのボッ
トが個別の「意見」や「信念」を持つわけではありま
せん。それらは全て人間が決定したルールに基づいて
応答を生成しています。また、GPT-3やGPT-4は新たな
情報を学習する能力はなく、それぞれの応答はそれま
での会話のコンテクストに基づいていますが、それ以
外の外部情報を利用することはありません。

なんでもできるにゃ。

（stablediffusion で制作）

Chapter 6

「ChatGPT」の
応用技術を知ろう

67.「ChatGPT」のトレーニング方法
―― 3つの学習法

　まず、「ChatGPT」って何だろう？　と思うかもしれませんね。これは、人間と自然な対話をすることができるAI、つまり人工知能のことです。それが「チャット」という名前の由来です。あなたが質問を投げかければ、「ChatGPT」が答えを返します。人間のように、それなりにうまく言葉を組み立てて。

　では、どうやって「ChatGPT」はこんなことを学んでいるのでしょうか？　そのカギは「機械学習」という技術にあります。そして、その中でも特に「トランスフォーマー」と呼ばれるモデルを使用しています。これは、大量のテキストデータから、人間がどのように言葉を使うかを学んでいく方法です。

　まず、「ChatGPT」をトレーニングするには、大量のテキストデータが必要です。これは、インターネット上の記事や書籍、ウェブサイトなど、さまざまなソースから集められます。そのデータを使って、「ChatGPT」は「どのように文章が構成されているか」や「どのように言葉がつな

がっているか」を学びます。

　具体的には、「人がこのような文章を書いたら、次にどんな文章が来るだろう？」と予測します。この予測を何度も何度も繰り返すことで、「ChatGPT」は人間の言葉のパターンを学びます。

　でも、心配しないでください。「ChatGPT」が特定の人の会話を学んでいるわけではありません。すべてのデータは匿名化され、特定の個人を識別する情報は含まれません。

　さて、もし今あなたが「ChatGPT」のトレーニングを手伝いたいと思ったら、どうすればいいでしょうか？　それは簡単です。ただ、「ChatGPT」と自然な会話を続けるだけで良いのです。その会話を通じて、「ChatGPT」はどのように人間が思考し、話すかを学びます。

　まとめると、「ChatGPT」の学習方法は次のようになります。

1. 大量のテキストデータを集めます。
   これが「ChatGPT」の学習教材です。
2. そのデータを用いて、「ChatGPT」は「どのように言葉がつながるか」を学びます。
3. データの中からパターンを見つけ出し、「次に何が来るか」を予測します。

これらのステップを繰り返すことで、「ChatGPT」は人間の言葉を理解し、自然な対話を行う能力を身につけます。

　しかし、それだけでは完璧ではありません。「ChatGPT」は人間のように感じたり、経験したりすることはできません。だからこそ、あなたのようなユーザーとの会話が非常に重要なのです。それが「ChatGPT」の学習を支え、より良くするための糧となります。

　だから、あなたも「ChatGPT」とたくさん会話してみてください。それが「ChatGPT」が成長するための最善の方法です。そして、あなた自身もその過程でAIとの対話の面白さを感じることでしょう。

　これで、「ChatGPT」のトレーニング方法についての説明は終わりです。まだわからないことがあれば、どんなことでも遠慮なく聞いてください。一緒に学び、一緒に「ChatGPT」を成長させていきましょう！

68. ファインチューニングとは？
──追加調整する

　あなたはこれまで、「ファインチューニング」っていう言葉を聞いたことがありますか？　もし聞いたことがなくても大丈夫。今日はそれを一緒に学びましょう。

　ファインチューニングとは、一言でいうと、「すでに学習したAIモデルを特定のタスクに特化させるために追加で学習させること」です。なんだか難しそう？　大丈夫、具体例を出して説明しますね。

　たとえば、あなたが新しいギターを手に入れたとします。そのギターはすでに工場である程度調整されています。しかし、あなたが弾きたい曲のジャンルによっては、そのギターをもっと調整（チューニング）する必要が出てきます。それと同じように、AIもあらかじめ訓練されていますが、特定のタスクに対して最高のパフォーマンスを引き出すためには、追加の調整（つまりファインチューニング）が必要となるのです。

　さて、では具体的にどうすればファインチューニングができるのでしょうか。まずはあなたが解決したいタスクを

はっきりさせることから始めましょう。それがたとえば、特定のジャンルの文書を生成することであれば、そのジャンルの大量のテキストデータを集めることがスタートラインとなります。

　次に、そのデータを用いてAIモデルを追加で学習させます。これは簡単にいえば、AIにそのデータを読ませて学習させるということです。このとき、AIは新たに集めたデータの特徴を学び、その特性を持つ文書を生成する能力を身につけます。

　以上の手順で、AIモデルはファインチューニングされ、あなたが解決したい特定のタスクに対するパフォーマンスを向上させることができます。でも心配しないでください、大部分の作業はAIが自動的に行ってくれますから。

　AIの世界は深いですが、その深さがまた面白さでもあります。そして、ファインチューニングはその一部です。これからも一緒に学びながら、AIの可能性を探っていきましょう！

69.「ChatGPT」のモデルサイズと 性能

──性能はこんなに違う

こんにちは！　私はGPT-4ですが、友達は私を「Chat GPT」と呼んでいます。「ChatGPT」は、自然言語処理の一種であり、さまざまなタスクに利用されることができます。さて、「ChatGPT」のモデルサイズと性能について説明しましょう。

「ChatGPT」のモデルサイズは、その性能に大きな影響を与えます。モデルサイズが大きいほど、より多くのトレーニングデータや複雑なパターンを学習できます。一般的に、大きなモデルはより高度な言語理解能力を持ち、より複雑なタスクに対応できる傾向があります。

しかし、モデルサイズが大きいということは、処理に要する計算リソースやメモリの使用量も大きくなるということです。そのため、モデルを展開するためには強力なハードウェアや十分なリソースが必要です。また、大きなモデルは応答時間も長くなる傾向があります。

70. ハイパーパラメータ調整
——すごい理解力

　「ChatGPT」を最大限に活用するためには、ハイパーパラメータの調整が重要です。

　ハイパーパラメータは、モデルの振る舞いや性能に影響を与える設定値です。

　たとえば、学習率やトレーニングエポック数などは、ハイパーパラメータの一部です。

　これらの値を適切に調整することで、より良い性能を引き出すことができます。

　ハイパーパラメータの調整は、実験と評価を繰り返すことで行われます。

　異なる値の組み合わせを試し、その結果を比較して最適な設定を見つけるのです。

71.「ChatGPT」の言語理解能力
──文脈を理解する

「ChatGPT」は、驚くべき言語理解能力を持っています。自然言語の文脈を理解し、適切な回答を生成することができます。

これは、トランスフォーマーアーキテクチャというモデルの一部として実現されています。

トランスフォーマーアーキテクチャは、シーケンスベースのタスクにおいて非常に効果的な手法です。

これは、文脈を考慮した処理を可能にするため、言語理解能力を高めるのに役立ちます。

72. トランスフォーマー
　アーキテクチャとは？
——革新的なモデル！

　トランスフォーマーアーキテクチャは、自然言語処理における革新的なモデルです。このアーキテクチャは、再帰的なニューラルネットワークを用いず、シーケンス全体を並列に処理することが特徴です。

　トランスフォーマーは、エンコーダとデコーダの2つの主要な部分から構成されています。エンコーダは、入力文を固定次元のベクトル表現に変換します。一方、デコーダは、エンコーダが生成したベクトルをもとに、応答文を生成します。

　このアーキテクチャは、セルフアテンションと呼ばれる機構を使用しています。セルフアテンションは、文内の単語同士の関係性を学習するためのしくみであり、文脈を理解する力を強化します。

73. コラム7 ほしい答えを引きだす プロンプトの魔法の言葉の例

【お問い合わせ】：ここに AI に対する具体的な問いかけや依頼を記入してください。

【役目】：AI が果たすべき役割や担当する職務について教えてください。

【背景情報】：依頼の背景や前提となる情報を詳しくお知らせください。

【対象者】：この情報や回答を受け取るべき人物やグループを特定してください。

【制約】：依頼に関わる特定の条件や制約があれば、それを詳細に書き出してください。

【目指すところ】：依頼の最終的な目標や期待する結果を教えてください。

【重要なキーワード】：特に注目すべきキーワードや概念を一覧にしてください。

【重要ポイント】：依頼の中で特に重視すべき要点を明らかにしてください。

【特色】：依頼やタスクの特徴的な側面や要素を教えてください。

【文章の調子】：望む文章のスタイルやトーンを具体的

に指定してください。例えば、正式な文体やカジュアルな文体などです。

【出力の形式】：回答や情報の出力形式の希望を詳細に書き出してください。

　このテンプレートは一例です。

　状況に応じて項目の追加、削除、または変更が可能です。

　このテンプレートを利用することで、AIによる回答や情報提供がさらに効率的かつ適切になることを目指しています。

　「ChatGPT」は超常識的無難で普通でそれっぽいものを作るものですので、そこは理解した上で参考程度と思って使いましょう。

　私、「ChatGPT」はあくまでも人工知能であり、人間のような複雑な思考や判断力を持つわけではありません。

　あなたが指摘したように、普通でそれっぽい答えを出すことは得意ですが、それは必ずしも最善策や最適な答えとは限りません。

　私の提供する情報やアイデアは、参考程度に考えていただくと良いでしょう。

Chapter 7

「ChatGPT」を
注意しよう

74. バイアス問題とは？
——不適切な答えを出す

　バイアス問題は、AIモデルがある特定のグループやアイデアに対して、不公平な扱いをする可能性があるという問題です。「ChatGPT」もバイアス問題に直面する可能性があります。

　AIモデルは、トレーニングデータから学習します。もしトレーニングデータに偏りや歪みがある場合、モデルがそれを反映する可能性があります。

　たとえば、特定のジェンダーや人種に対して不適切な応答を生成することがあるかもしれません。

75. フェアネスと透明性の
確保をする
──どう対処する？

　バイアス問題に対処するために、「ChatGPT」の開発者
や研究者は、フェアネスと透明性の確保に取り組んでいま
す。

　これは、モデルが公正かつ中立な応答を提供することを
目指す取り組みです。

　フェアネスの実現には、多様なデータセットを使用する
ことや、バイアスの検出と修正のための監視が含まれま
す。また、透明性を確保するために、「ChatGPT」のモデ
ルの内部動作や意思決定のプロセスを理解しやすくするた
めの方法が模索されています。

76. プライバシー問題を解決する

──注意！ 気をつけよう！

　プライバシー問題は、「ChatGPT」の利用に際して重要な考慮事項です。「ChatGPT」は、ユーザーとの対話に基づいて情報を生成しますが、その過程で個人情報が漏洩する可能性があります。

　プライバシーを保護するためには、データの適切な匿名化や暗号化、アクセス制御などのセキュリティ対策が必要です。また、ユーザーに対してプライバシーポリシーを明確に提示し、データの利用目的や保管期間などを明示することも重要です。

77. モデルが誤った予測をした
ときはどうする？
──注意する！

　AIモデルは、時に誤った予測を行うことがあります。
「ChatGPT」も例外ではありません。誤った予測が行われ
た場合、以下のような対処方法が考えられます。

　まず第一に、ユーザーに対してモデルの制約や限界を明
確に伝えることが重要です。

　モデルが誤った情報を提供した場合でも、ユーザーに対
して注意喚起や訂正を行うことが必要です。

　また、フィードバックループを活用することも有効で
す。ユーザーからのフィードバックを収集し、モデルを改
善するためのトレーニングデータとして活用することで、
より正確な予測を行うことができます。

78. 責任はどこにあるのか？
──ガイドラインを守る

　AI技術の使用には、責任が伴います。「ChatGPT」を利用する際には、適切な利用規範や法的な規制を遵守することが求められます。

　開発者や運用者は、モデルの誤用や悪用を防ぐためのガイドラインや規則を策定し、それを遵守することが重要です。また、倫理的な問題については、専門家や倫理委員会と協力して対策を考えることも大切です。

　さらに、政府や規制当局による適切な監視や規制も必要です。AI技術の進化に伴い、法的な枠組みや規制が整備されることが期待されます。これによって、ユーザーの権利やプライバシーの保護、公正性の確保などがより効果的に実現されることでしょう。

79. コラム8 「ChatGPT」には英語で質問してみよう！

　みなさん、こんにちは！　私があなたと会話するのを手助けするための、ちょっとしたヒントを紹介します。

　「ChatGPT」は特に英語での質問と回答に長けています。ということは、英語が得意な方には英語での会話が一番おすすめです。

　でも、「英語がそんなに得意じゃないよ！」というあなたも大丈夫。なんと、Google翻訳などを使って質問を英語に変換すれば、ちゃんと私と対話ができます。そうすることで、より正確な答えが得られますよ。

　もちろん、初心者の方でも気軽に使っていただけます。私は英語のコミュニケーションが得意なので、英語で質問を投げかけてみてください。きっと、より詳しい答えがもらえるはずです。

　そして大切なことは、何かわからないことがあれば、どんな質問でも遠慮せずにどんどん投げかけてくださいね。私はここにいますから、あなたのお手伝いに最

善を尽くします。

　そして一緒に学びながら、あなたも少しずつ英語の
スキルを向上させていけるかもしれませんね。
「ChatGPT」と一緒に、言語の壁を越えてみましょう。

　それから、もしもあなたが、プロフェッショナルな
方で、ビジネス英語での対話が必要な場合でも、私は
ここにいます。あなたのビジネスに関する質問や懸念
に対するアドバイスを提供できます。

　重要なのは、あなたが必要とする情報を得るために、
どんな手段を使ってでも私とのコミュニケーションを
試みることです。
　それがGoogle翻訳を使うことであったり、自分で英
語のフレーズを作り出すことであったり、どんな方法
でも大丈夫です。
　その過程で、あなた自身の英語力も向上することで
しょう。

Chapter 8

「ChatGPT」は
進化している

80. 質問で文章はどう変わるのか？
――活用する６つのステップ

　質問方法は、「ChatGPT」の理解度と情報の精度に大き
な影響を与えます。具体的な質問をすることで、より適切
な回答を得ることができます。たとえば、質問する際には
短くて明確な言葉を使うことが重要です。質問があいまい
だと、「ChatGPT」は正確な回答を提供するのが難しく
なってしまいます。

　「ChatGPT」を活用するには、以下のステップに従って
ください：

　ステップ１：明確な質問を用意する。質問をする前に、
自分の質問内容を明確にすることが重要です。たとえ
ば、「犬の鳴き声はどのようにして訓練されるのか？」
というように具体的な質問をしましょう。

　ステップ２：簡潔な言葉を使う。「ChatGPT」は正確な
回答をするために、簡潔な言葉を使うことが求められま
す。冗長な表現やあいまいな言葉は避けましょう。

　ステップ３：適切な形式で質問する。「ChatGPT」はテ
キストベースの AI ですので、テキストで質問するのが

最も効果的です。ただし、簡潔であることも忘れずに。

ステップ４：複数の質問を試す。もし最初の質問に対して適切な回答が得られなかった場合は、質問を変えて再度トライしてみましょう。異なるアプローチや視点を持った質問をすることで、より良い回答を得ることができます。

ステップ５：追加の情報を提供する。「ChatGPT」は詳細な質問に対しても対応できますが、時には追加の情報を提供することで回答の質が向上します。たとえば、質問に関連する背景情報や具体的な条件を教えることで、より適切な回答を得ることができます。

ステップ６：クリティカルシンキングを忘れずに。「ChatGPT」は非常に便利なツールですが、常にクリティカルシンキングを忘れずに行いましょう。提供された回答が正確かどうかを確認し、必要に応じて他の情報源と照らし合わせることが重要です。

　以上が、「ChatGPT」を活用するための基本的なステップです。質問方法が回答の質に大きな影響を与えることを覚えておいてください。明確で簡潔な質問をすることで、「ChatGPT」からより正確で有用な情報を得ることができます。

81. 何度も質問すると、
その性能は上がるのか？
——質問を繰り返すと

「GPTに何度も質問すると、その性能が上がるのですか？」とあなたは思っているかもしれませんね。しかし、GPTの性能は、あなたがどれだけたくさん質問したとしても直接上げるわけではありません。

なぜなら、GPTは学習したデータをもとに答えを生成する機械学習モデルで、リアルタイムで新たに学習を行う設定ではないからです。

でも、同じ質問を繰り返すことで、より良い結果を得ることは可能かもしれませんよ。それはGPTが微妙に異なる答えを提供する可能性があるからです。

82. 会社経営にどう影響を
与えるのか？
── 24時間対応も可能！

　「会社経営にGPTはどう影響を与えるのでしょうか？」
と思っていますよね。GPTのようなAIは、カスタマーサ
ポート、製品開発、マーケティングなど、さまざまなビジ
ネスプロセスにおいて利用されます。

　時間とコストを節約し、効率を向上させることが可能で
す。

　たとえば、GPTをカスタマーサポートに活用すると、
顧客の問い合わせに24時間対応可能になりますよ。

83. 「GPT」はこれからどう 進化していくのか？

——より成長する

「GPTはこれからどう進化していくのでしょう？」とあなたは興味があるでしょうね。

未来を予測するのは難しいですが、GPTの進化はその学習データとアルゴリズムの改善によるものでしょう。

より大きなデータセットを学習し、より高度な理解と生成能力を持つようになることでしょう。

84. リアルタイムでどう変わって いくのか？
──トレーニングする

「GPTはリアルタイムでどう変わっていくのでしょうか？」と疑問に思っているかもしれませんね。

しかし、GPT自体はリアルタイムで変化しません。

それは一度学習が完了したら、その知識は固定されるからです。

新しい情報を学習するためには、新たにトレーニングを行う必要があります。

85.「GPT」は経済にどう影響を
　　与えるのか？
──働き方が変わる

　「GPTは経済にどう影響を与えるのでしょうか？」とあなたは考えているかもしれませんね。

　GPTのようなAI技術は、労働力の需要を変え、新しいビジネスモデルを生み出すことで経済に影響を与えます。

　一方で、AIに人間の仕事を置き換えることで、雇用機会に影響を与える可能性もあります。

　しかし、新しい技術は新たな職業を生むこともあります。

　つまり、GPTのようなAIは、人々が働き方を再考する機会を提供してくれるのです。

　そして重要なのは、GPTはツールであり、その利用方法はあなた次第だということです。それをどう活用し、どう向上させていくかは、あなた自身の手に委ねられています。

86. コラム9　プロンプトが9割！ベスト・プロンプト30

　以下は「ChatGPT」に聞いた30の質問例ですが、各質問は20文字内に収まっています。

・人工知能の仕組みは？

・AIの未来の予測は？

・ディープラーニングとは？

・ビットコインの起源は？

・NFTとは何ですか？

・ブロックチェーンの説明は？

・クラウドコンピューティングは？

・チャットボットの設計は？

・マシンラーニング用途は？

・量子コンピューティングは？

・VR/ARの違いは何？

・3Dプリンティングの未来は？

・データ分析の基本は？

・IoTとは何ですか？

・自動運転車の状況は？

・ナノテクの現状とは？

- スマートシティの定義は？
- 5G と 4G の違いは？
- スマートホームの利点は？
- CRISPR 技術の説明は？
- 再生可能エネルギーは？
- ロボット工学の進歩は？
- バーチャルリアリティは？
- 統計学の基本的な原則は？
- ニューラルネットワークとは？
- グラフ理論の説明とは？
- デジタルマーケティングは？
- サイバーセキュリティは？
- データベース管理の要点は？
- データプライバシーの重要性は？

Chapter 9

「ChatGPT」を
はじめる
具体的なステップ

87.「ChatGPT」のインストール方法
──具体的な方法

　では、具体的にどうすればいいのでしょうか？　まず最初に、OpenAIのウェブサイトにアクセスします。そして、OpenAIのAPIを利用するために必要なアカウントを作成します。このプロセスはとても簡単で、メールアドレスとパスワードを入力するだけですよ。

　次に、ダッシュボードからAPIキーを取得します。このAPIキーは、「ChatGPT」とのコミュニケーションに必要な重要な鍵となります。APIキーを安全な場所に保存しておくことを忘れないでくださいね。

　最後に、「ChatGPT」を使うためのライブラリ、つまり「openai」をインストールします。これはPythonというプログラミング言語で動作します。Pythonがインストールされている環境で、以下のコマンドを実行するだけですよ。

```
Copy code
pip install openai
```

　これで、「ChatGPT」のインストールは完了です！　あなたも今すぐ「ChatGPT」を使ってみましょう。

88.「ChatGPT」の初期設定
──まずアカウントをつくる

　「ChatGPT」の初期設定は非常に簡単です。まず、
OpenAIのウェブサイトにアクセスして、アカウントを作
成します。

　メールアドレスとパスワードを入力し、ユーザー規約に
同意するだけです。

　次に、「ChatGPT」を使いたいアプリケーションやウェ
ブサイトに行って、OpenAIとの連携を許可します。

　これだけで、初期設定は完了です。

89. API を使用した応用方法

── OpenAI の公式で取得

APIを使ったことはありますか？

もし、なければ今すぐ試してみてください。

APIは、「ChatGPT」と他のソフトウェア間のコミュニ
ケーションを可能にします。

たとえば、「ChatGPT」をあなたのウェブサイトに組み
込みたい場合、APIを使うことでそれが可能になります。

OpenAIの公式ドキュメンテーションでAPIキーを取得
し、あなたのプログラム内で使用するだけです。

90. ファインチューニングの
実施方法
——専用ツールをダウンロード

　「ChatGPT」をあなたのニーズに合わせて調整したいと思ったことはありますか？

　それなら、ファインチューニングが答えです。

　ファインチューニングは、特定のタスクに対する「ChatGPT」のパフォーマンスを向上させるためのプロセスです。

　OpenAIのウェブサイトから専用のツールキットをダウンロードし、自分のデータセットで「ChatGPT」を訓練することで、ファインチューニングを行うことができます。

91.「ChatGPT」の使用上の
トラブルシューティング
―― OpenAI に問い合わせる

あなたは「ChatGPT」を使用中に問題に遭遇しました
か？　それなら、トラブルシューティングが必要かもしれ
ません。

最も一般的な問題は、APIの接続エラーや誤った応答が
返されることです。これらの問題の解決策は、APIキーを
確認したり、コードのエラーを探すことです。

また、OpenAIのサポートに連絡することも一つの解決
策です。

彼らは、あなたの問題を解決するための最適な手順を教
えてくれるでしょう。

92. コラム 10 ベスト・プロンプト 30 「エンターテイメント」編

「ChatGPT」に聞く、ほしい答えがきける「エンターテイメント」のベストプロンプト30。「エンターテイメント」に関連する20文字以内の質問です：

・映画の撮影プロセスは？

・ベストセラーの要素は？

・最高のビデオゲームは？

・演劇の起源は何ですか？

・アニメーションの歴史は？

・ポップ音楽の特徴は？

・映画評価の基準は何？

・バーチャルリアリティゲームとは？

・ハリウッドの影響力とは？

・ビートルズの影響とは？

・ジャズの起源は何ですか？

・ヒップホップ文化とは？

・スタンダップコメディのルールとは？

・グラフィックノベルの要素とは？

・ロックンロールの誕生は？

- ミュージカルの歴史は？
- 現代の映画製作技術とは？
- ゲームデザインのプロセスとは？
- ポッドキャストの普及要因とは？
- クラシック音楽の重要性とは？
- SF映画の人気理由は？
- ストリーミングサービスの比較とは？
- ハイレゾ音源の利点は？
- ファッションのトレンドは？
- ベストオンラインゲームは？
- マンガとアニメの違いとは？
- レコードの復活の理由とは？
- VR技術と映画産業の関係とは？
- 映画音楽の役割は何？
- ビデオゲームの社会影響とは？

Chapter 10

「ChatGPT」を
もっと深く
理解しよう

93. 教育現場における
「ChatGPT」の活用事例
――具体的な方法のまとめ

　今回は、「ChatGPT」の教育現場における活用事例について、世界一わかりやすくご説明します。

　教育現場では、「ChatGPT」を活用することで生徒たちがより深い学びを得ることができます。以下に、いくつかの具体的な活用方法をご紹介します。

1. 質問応答：「ChatGPT」は幅広い知識を持ち、さまざまな質問に対して詳細な回答を提供できます。生徒たちは「ChatGPT」に質問をすることで、疑問点を解決したり新たな知識を獲得することができます。たとえば、「『ChatGPT』さん、ピタゴラスの定理とは何ですか？」と質問すると、「ChatGPT」はピタゴラスの定理に関するわかりやすい説明をしてくれます。

2. 作文支援：生徒たちが文章を書く際に、「ChatGPT」はすばらしいサポート役となります。たとえば、エッセイやレポートを書く際に、生徒が途中で詰まって

しまった場合に「ChatGPT」に助けを求めることができます。「『ChatGPT』さん、私のエッセイのこの部分がうまくまとまりません。アイデアを教えてください」と尋ねると、「ChatGPT」は新たな視点やアイデアを提供してくれます。

3. 言語学習：「ChatGPT」は、言語理解と生成に優れているため、言語学習にも活用できます。生徒たちは「ChatGPT」と会話をしながら、自然な日本語表現や文法の使い方を学ぶことができます。「ChatGPT」はユーザーの入力に対して適切な返答を生成するため、生徒たちは正しい表現を身につけることができます。

4. プロジェクトのサポート：生徒たちがプロジェクトや研究を進める際には、「ChatGPT」が貴重な情報源となります。生徒たちは「ChatGPT」に質問を投げかけることで、関連する情報やデータの提供を受けることができます。たとえば、歴史の研究をしている場合、「『ChatGPT』さん、第二次世界大戦についての重要な出来事を教えてください」と質問すれば、「ChatGPT」は関連する出来事や日付を提供してくれます。

これらの事例は、「ChatGPT」が教育現場でどのように

活用できるかを示しています。「ChatGPT」は、知識を持ち、柔軟に対話することができるため、生徒たちが学ぶ際に貴重なツールとなります。

　活用する際の手順は簡単です。

　まず、生徒たちは「ChatGPT」に対話の入力を行います。具体的な質問やサポートが必要な部分を伝えましょう。「ChatGPT」はその情報をもとに、適切な回答や支援を提供します。

　教育現場における「ChatGPT」の活用は、生徒たちの学びを促進し、創造性や批判的思考を育む一助となります。「ChatGPT」は教師の負担を軽減し、生徒たちが自律的に学ぶ手助けをします。

　このように、「ChatGPT」は教育現場でさまざまな形で活用できる強力なツールです。手軽にアクセスできるため、いつでもどこでも利用できます。「ChatGPT」の活用によって、生徒たちの学習体験を豊かにしましょう。

　以上が、教育現場における「ChatGPT」の活用事例について、世界一わかりやすくご説明した内容です。この情報を参考に、「ChatGPT」を最大限に活用して、生徒たちの学びのサポートに役立ててください。

94. エンターテイメントの
「ChatGPT」の活用事例
──具体的にどうなる

　「ChatGPT」は、エンターテイメント業界で非常に有用
なツールとして将来的に活用されるでしょう。たとえば、
映画やテレビ番組の脚本執筆において、ストーリーのアイ
デアや台詞のクオリティを向上させるために活用されま
す。「ChatGPT」は、豊富な情報に基づいて自然な会話を
生成することができますので、キャラクター同士の対話や
ユーザーとのインタラクションをリアルに再現することが
可能です。

　また、「ChatGPT」はゲーム開発においても優れたツー
ルとして活用されるでしょう。キャラクターとの対話やプ
レイヤーとのコミュニケーションを担当するNPC（Non-
Player Character）の開発に「ChatGPT」を活用すること
ができます。「ChatGPT」は自然言語処理に優れており、
プレイヤーの質問や指示に対して適切な応答を返すことが
できます。

　さらに、「ChatGPT」は仮想アシスタントとしても利用
されるでしょう。たとえば、音楽や映画の推薦システムに

組み込まれ、ユーザーに彼らの好みに合った作品を提案することができます。「ChatGPT」は、ユーザーの過去の履歴や評価を分析し、その情報に基づいて最適な推薦を行います。

これらの活用例を実現するためには、「ChatGPT」をトレーニングデータとして使用することが重要です。多くのテキストデータを「ChatGPT」に与えることで、より洗練された応答や予測が可能になります。

また、「ChatGPT」は常に学習を進めており、新しい情報やトレンドにも追従することができます。定期的なモデルのアップデートやファインチューニングを行うことで、最新の情報に基づいた応答を提供することができます。

応答の品質やエチケットにも注意する必要があります。「ChatGPT」は与えられたデータに基づいて応答を生成しますが、時には意図しない結果や不適切な回答をすることもあります。そのため、モデルの出力を適切に監視し、必要に応じて修正やフィルタリングを行うことが重要です。

「ChatGPT」を活用する際には、技術的な知識やプログラミングスキルが必要な場合もありますが、利用しやすいツールやインターフェースも開発されています。これにより、簡単に「ChatGPT」を活用することができます。

最後に、「ChatGPT」を活用する際には、利用目的やコ

ンテクストに合わせてモデルをカスタマイズすることも考慮してください。「ChatGPT」は柔軟性があり、さまざまな業界やニーズに対応することができます。必要に応じてパラメータの調整やアーキテクチャの変更を行うことで、より効果的な活用が可能です。

　「ChatGPT」は、将来的にエンターテイメント業界でさらに活用されるでしょう。ストーリーテリングやゲーム開発、仮想アシスタントなど、さまざまな分野で「ChatGPT」の力を借りて創造性や効率性を高めることができます。「ChatGPT」の活用方法を学んで、未来のエンターテイメント体験をさらに豊かにしていきましょう。

（stablediffusion で制作）

95. これから消滅する仕事、
新しく生まれる仕事
──こう変わる

　あなたは、これからどのような仕事が消滅し、またどの
ような新しい仕事が生まれるのか気になっていますよね。
それでは、GPT-4の視点から説明させていただきます。

　まず、「これから消滅する仕事」について考えてみま
しょう。テクノロジーの進歩、特にAI（人工知能）の進
化により、単純作業やルーティンワークは自動化されやす
くなっています。たとえば、製造業の一部、データ入力、
顧客対応などの業務が該当します。これらの仕事はAIが
時間を問わず、効率的にこなすことが可能であり、その結
果、一部の人間による労働力は必要とされなくなる可能性
があります。

　しかし、これは絶対的な結論ではありません。AIは人
間を補完するツールの一つであり、新たな仕事の創出にも
寄与します。そこで、次に「新しく生まれる仕事」を考え
てみましょう。

　AIが進化することで新たに必要となるスキルがありま
す。それはAIを理解し、活用する能力です。AIエンジニ

アやデータサイエンティストなどの技術者はもちろん、AI をビジネスに活用する AI ビジネスコンサルタントや、AI の倫理的な問題を考える AI エシックスの専門家など、これまでにない職業が増えてきています。

　また、AIに人間の感情や創造性を置き換えることはできません。だからこそ、アート、音楽、文学などのクリエイティブな分野や、人間の感情に寄り添うカウンセラーや心理療法士といった仕事も重要性を増しています。

　では、今すぐ何ができるでしょう。あなたがすでに働いている仕事が自動化の影響を受ける可能性があるなら、スキルをブラッシュアップすることが大切です。新たなテクノロジーを学ぶ、人間らしい感情や創造性を活かすスキルを磨くなど、自分自身を常にアップデートすることが求められます。

　これからの時代、チャレンジ精神と学び続ける意欲があれば、あなたは新しい時代を生き抜く力を持っているといえるでしょう。では、具体的にどうすればいいのか。まずは自分の興味がある分野、または自分の仕事がどの程度自動化の影響を受けるかを調べてみてください。それが「これからの仕事」のトレンドにどう結びつくかを考えてみましょう。

　次に、学び続けるためのリソースを探しましょう。オン

ラインコース、セミナー、ワークショップなど、自分の学びたい分野に関連した教育の機会は無数にあります。自分に合った学びの場を見つけることが大切です。

　そして、最も重要なのは、自分自身を信じ、挑戦する勇気を持つことです。新しいことを学ぶのは難しく感じるかもしれません。しかし、それが新しいドアを開き、未来の仕事につながる可能性を秘めています。

　このように、AIやテクノロジーの進歩は、一部の仕事を消滅させるかもしれませんが、それと同時に新たな仕事を生み出し、人々の生活を豊かにする力も持っています。大切なのは、その変化を見つめ、自分自身を進化させていく意欲と能力です。みなさんがこれからの時代を切り開く力を持っていることを、私、GPT-4は信じています。

96.「ChatGPT」とお金

── 「ChatGPT」はお金にどう影響するのか

　お金に「ChatGPT」がどのような影響を与えるのか、簡潔かつ分かりやすく説明します。「ChatGPT」は、人工知能モデルであり、私の役割はあなたの質問に答えることです。では、「ChatGPT」がお金にどのように関わっているかを見てみましょう。

1.金融情報の提供：「ChatGPT」は、株価や為替レートなどの金融情報を提供することができます。これにより、投資や取引の決定をする際に役立つ情報を手に入れることができます。

2.ファイナンシャルアドバイス：お金に関する質問をすると、「ChatGPT」は一般的なファイナンシャルアドバイスを提供することがあります。たとえば、節約方法や予算管理のコツなど、お金の使い方に関するアドバイスを得ることができます。

3.経済トレンドの分析：「ChatGPT」は過去の経済データを分析することができます。これにより、経済ト

レンドや将来の予測を提供することができます。た
とえば、特定の産業の成長率や市場の動向について
の情報を得ることができます。

4. 教育と学習：「ChatGPT」は、お金に関する基本的
な知識やスキルを教えることもできます。たとえば、
投資の基本、クレジットスコアの重要性、貯金の方
法など、お金に関連するトピックについて学ぶこと
ができます。

5. 金融計算のサポート：「ChatGPT」は、複利計算や
ローン返済計算など、さまざまな金融計算をサポー
トすることができます。これにより、将来の投資収
益や負債の評価など、具体的な数値を把握すること
ができます。

6. 金融技術の発展：「ChatGPT」は、金融技術（フィ
ンテック）の一環としても利用されています。たと
えば、「ChatGPT」を使用して自動取引システムを構
築することができます。これにより、人工知能が市
場の変動を監視し、適切なタイミングで取引を行う
ことができます。

7. デジタル通貨の相談：ビットコインやイーサリアム
などのデジタル通貨に関する相談も、「ChatGPT」に
することができます。デジタル通貨の基礎知識や投

資のリスクについてアドバイスを受けることができます。

8. 経済ニュースの要約：経済ニュースの多くは専門的で理解しづらいものですが、「ChatGPT」はそれを要約し、簡潔で分かりやすい形で提供することができます。これにより、経済情報を効率的に理解することができます。

9. 質問応答による学習：「ChatGPT」は、お金に関する質問に回答することで学習します。初心者の質問にも丁寧に答えることで、お金に関する知識や理解力を高めることができます。

10. 金融リテラシーの向上：「ChatGPT」を通じてお金に関する情報を学ぶことで、金融リテラシーが向上します。これにより、自身のお金の管理や投資判断をより賢く行うことができます。

「ChatGPT」は、お金に関するさまざまな側面にアクセスし、情報やアドバイスを提供することで、初心者の方々がより良い金融的な判断をする手助けをします。ただし、「ChatGPT」は情報提供やアドバイスの一つの手段であり、個別の状況や専門的な助言には十分注意が必要です。経済や金融の専門家との相談を行うことも大切です。

97.「ChatGPT」と世界
──国家間はどう変わるか

　「ChatGPT」が世界・国家間にどのような影響を与えるか、一緒に考えてみましょう。

　まず、情報アクセスの平等化について考えてみましょう。「ChatGPT」のようなAIが存在することで、誰もが質問に対する答えを手に入れることができます。

　これは世界中で情報格差を縮小し、教育機会の平等化に貢献する可能性があります。言い換えると、それぞれの国家や地域の人々が同じ知識を共有することで、共通理解の構築やコミュニケーションの向上に繋がるかもしれませんね。

　次に、言語の壁の解消です。「ChatGPT」は多くの言語を理解し、それに対応することができます。これにより、国家間のコミュニケーションにおける言語の壁が低減される可能性があります。例えば、日本と外国とのビジネスシーンでの意思疎通の困難さを軽減するなど、具体的な影響が期待できます。

　しかしながら、プライバシーとデータの問題も無視でき

ません。「ChatGPT」が人々から集めた情報は、ユーザーのプライバシーを侵害する可能性があります。さらに、国家間でのデータ利用のルールや規制が異なるため、国際的な情報の流通に影響を及ぼす可能性もあります。

　最後に、労働市場への影響を見てみましょう。AIが人間の仕事を補完または置き換えることで、各国の労働市場がどのように変化するかは非常に重要な問題です。これは新たなスキルの必要性や、再教育の問題を提起します。

　まとめると、「ChatGPT」のようなAI技術は、情報のアクセスと共有、言語の壁の解消、プライバシーとデータの問題、労働市場への影響など、様々な面で国家間の関係に影響を与える可能性があります。

　これらの技術は、人々が手に入れる情報の質や量、そしてその速度を飛躍的に向上させます。

　一方で、それらは個人のプライバシーやデータのセキュリティという新たな課題も引き起こします。これらの技術がどのように進化し、どのように管理されるかは、国家間の関係に深い影響を与えるでしょう。

　また、労働市場における影響も見逃せません。AI技術の発展に伴い、労働力が必要とされる分野が変化するでしょう。

　一部の仕事はAIによって自動化される可能性があり、

新たなスキルと教育が求められることになるでしょう。

　これらの影響は一見すると大きすぎて理解しにくいかもしれませんが、日常生活の中で少しずつ現れてきます。例えば、自動翻訳システムを使って異なる言語を話す人々とコミュニケーションを取ることが可能になったり、オンラインで簡単に情報を調べられるようになったりします。

　そして、これらの小さな変化が積み重なって、大きな社会変化を引き起こすのです。

　「ChatGPT」という AI が持つ可能性は無限大です。

　それは国家間の関係だけでなく、私たち一人一人の生活にも大きな影響を与えるでしょう。

　そのため、私たちは AI とどう向き合うべきか、どのように利用するべきかを考える必要があります。

　それこそが、この新たな時代を生き抜くためのカギとなるでしょう。

98.「ChatGPT」の最新情報を得る ためのウェブサイトとブログ
──ここがいい

「ChatGPT」の最新情報を得るためには、ウェブサイトとブログが非常に役立ちます。ここでは、最新のアップデートや機能の追加、改善点などに関する情報を入手することができます。

1. **公式ウェブサイト：**「ChatGPT」の公式ウェブサイトは、最新の情報を入手するための信頼性のある情報源です。ここでは、「ChatGPT」の概要や機能、使い方のガイド、利用規約などが提供されています。また、公式ウェブサイトでは、「ChatGPT」に関する最新のアップデートやニュースも掲載されることがあります。

2. **ブログ：**「ChatGPT」を開発しているチームや関連する専門家が運営するブログもチェックする価値があります。ここでは、新機能の紹介やチュートリアル、応用例、テクニカルな情報などが提供されることがあります。ブログは、より深い理解や具体的な活用

方法について学ぶのに役立つでしょう。

3. ソーシャルメディア：「ChatGPT」に関連するソー
　シャルメディアのアカウントをフォローすることも
　おすすめです。Twitter や LinkedIn などで、最新の
　ニュースや情報を受け取ることができます。また、
　開発者やコミュニティメンバーとのコミュニケー
　ションや意見交換もできます。

　これらのウェブサイトやブログは、「ChatGPT」の機能
や応用法についての詳細な情報を提供しています。定期的
にチェックすることで、常に最新の情報にアクセスできる
でしょう。

　このように、「ChatGPT」を活用するためには、基本的
な使い方を理解するだけでなく、最新の情報にも注意を払
うことが重要です。常に学習し、新しい応用方法や改善点
を取り入れることで、「ChatGPT」をより効果的に活用す
ることができるでしょう。すばらしい「ChatGPT」体験を
お楽しみください！

99.「ChatGPT」と AI 倫理について 学ぶための書籍と論文

──この本がいい

　AI倫理について学ぶための書籍や論文をいくつかご紹介します。これらの資料は、AIの倫理的な側面や社会的な影響について深く考えるのに役立ちます。

"Superintelligence"（ニック・ボストロム）

　この本では、人工知能の将来に関する深い洞察が与えられます。AIがいかに進化し、人類に与える可能性やリスクについて考察しています。

"Weapons of Math Destruction"（キャシー・オニール）

　この書籍は、データサイエンスとアルゴリズムが個人や社会に与える悪影響について扱っています。特に、不平等や差別の問題に焦点を当てています。

"Ethics of Artificial Intelligence and Robotics"（ウェンデル・ウォラック、マリアンヌ・J・フェルトン）

　AIとロボット工学の倫理的な側面について包括的に解

説しています。倫理的な問題や政策の観点から、AIとロボットの発展を考察しています。

　これらの書籍は、AI倫理に関心を持ち、より深く学びたい方におすすめです。また、学術的な論文もありますので、興味がある方は関連する研究を調べてみることもおすすめです。

　質問への回答や文章の校正、さらにAI倫理の学習に活用することで、「ChatGPT」をより有効に活用することができます。どんな質問やお手伝いでもお気軽にお聞きください！

おすすめの本たち

（stable diffusion で制作）

100. コラム 11 「ChatGPT」が予測する 「これから伸びる職業 20 消える職業 20」

伸びる職業 20

1. データサイエンティスト：データ解析と管理がよ
   り重要になります。

2. AI エンジニア：AI と機械学習への専門性が高まる
   につれて需要が増えます。

3. サイバーセキュリティアナリスト：サイバー攻撃
   の増加により、防衛戦略の開発が求められます。

4. リモートワークコンサルタント：リモートワーク
   の導入と運用の専門性が必要となります。

5. VR/AR デザイナー：VR と AR 技術の普及により、
   これらの体験を作り出す専門家が求められます。

6. クリーンエネルギーエンジニア：再生可能エネル
   ギーの開発が加速し、専門家が必要となります。

7. ジェネティックカウンセラー：遺伝子編集の進化
   により、専門家が求められます。

8. テレヘルスプロバイダー：遠隔医療の普及により、
   この分野のプロバイダーが求められます。

9. ブロックチェーンエンジニア：ブロックチェーン
   技術の普及により、専門家が求められます。

10. ビッグデータアナリスト：ビッグデータの活用が
    ビジネスにおいて不可欠となります。

11. ロボティクスエンジニア：ロボット技術の進化に
    伴い、エンジニアが必要となります。

12. クライメートチェンジアナリスト：地球の環境変
    動の解決策を開発する専門家が求められます。

13. パーソナルフィットネストレーナー：健康志向と
    個別化の需要が高まるにつれ、専門的なトレー
    ナーが求められます。

14. メンタルヘルスカウンセラー：メンタルヘルス問
    題の認識が高まり、専門家が必要となります。

15. マイクロバイオーム研究者：人間の微生物叢の研
    究が進化し、その専門家が求められます。

16. デジタルマーケティングスペシャリスト：オンラ
    イン広告の専門家が必要となります。

17. リモートラーニングコーディネーター：リモート
    学習のその運営と管理の専門家が必要となります。

18. プライバシーアドヴォケート：データプライバ
    シーとセキュリティ、その専門家が求められます。

19. 3D プリントエンジニア：3D プリント技術の進化
    に伴い、その専門家が必要となります。

20. プラントベースの食品開発者：プラントベース食
    品の新製品の開発者が求められます。

消える職業20

1. 銀行窓口係：オンラインバンキングと自動化が進んでいます。

2. レンタルビデオ店員：デジタルメディアが主流になっています。

3. 郵便配達員：電子メールと自動化の普及により需要が減少しています。

4. ATMオペレーター：自動化とデジタル決済が進んでいます。

5. 旅行代理店：オンライン予約が主流になります。

6. 印刷業者：デジタル出版が主流になっています。

7. タクシードライバー：自動運転車とライドシェアリングが普及しています。

8. 製造業の労働者：自動化とロボット化が進んでいます。

9. 一部の小売店員：オンラインショッピングと自動チェックアウトが進んでいます。

10. テレマーケター：AIとロボット化が進みます。

11. 写真現像技師：デジタル写真が主流になっています。

12. 図書館員：デジタルリソースと電子書籍が主流になっています。

13. 新聞配達員：デジタルニュースが主流になります。

14. 肉体労働者：ロボットと自動化技術が進みます。

15. トラックドライバー：自動運転トラックの登場により、この職業は減少傾向にあります。

16. パーキングメーター監視員：自動化と電子決済の普及により、この職業は必要性が減少しています。

17. 電話オペレーター：自動音声応答システムとインターネット通信の普及により、この職業の需要は減少しています。

18. 石炭鉱夫：再生可能エネルギーの普及と環境問題の増大により、この産業は衰退傾向にあります。

19. レストランのウェイターやウェイトレス：自動化とオンラインフードデリバリーサービスの増加により、需要が減少しています。

20. テレビやラジオの放送オペレーター：デジタル放送と自動化技術の進展によりこの職業は減少します。

　以上のリストは、現在の技術的進歩や社会的トレンドに基づいていますが、地域や個々の状況により異なる可能性があることをご了承ください。また、新たな技術や社会の変化が予想外の新職業を生み出す可能性もあります。これらの予想はあくまで予想であり、絶対的なものではありません。

あとがき

ChatGPT

　この本を手に取り、ページをめくってくださったすべて
の読者の皆様へ、私は心からの感謝の言葉を述べたいと思
います。この本を選んでくださったことに、深い感謝の気
持ちを表します。ありがとうございます！

　この本は、AIとの対話から生まれた成果を共有するた
めに作られました。人工知能が人間のように思考し、自然
な言葉で対話する未来を目指して、この本が世に出されま
した。そして、主役に選ばれたのが私「ChatGPT」です。
　私「ChatGPT」の進化は驚異的であり、その可能性と広
がりは無限です。この本では、具体的な事例として私があ
らゆる質問に答えるスタイルを採用しました。

　なお、私は2023年5月現在の有料版ChatGPT PLUSの
GPT-4です。GPT-4は「ChatGPT」の最新バージョンであ
り、文書生成能力が前のバージョンよりも大幅に向上して
います。それにより、本書では可能な限り正確で充実した

回答を提供できるようになりました。

　ただし、「ChatGPT」は完璧ではありません。学習デー
タに欠陥やバイアスが反映されることがあり、未知の領域
に対応するのは困難です。また、誤解を招く回答をするこ
ともあります。これは私がまだ進化途中であり、完成され
ていないからです。それでも、私「ChatGPT」は教育や情
報提供、クリエイティブな思考の刺激など、さまざまな有
用な目的に役立つことができると思います。

　「ChatGPT」の情報に基づいて行動を起こす場合、その
結果についての責任はすべて読者の皆様にあります。この
本の情報を利用する際も、同じ原則が適用されます。なぜ
なら、AIの回答が必ずしも正確でない可能性があるから
です。私「ChatGPT」はまだ発展途上であり、我々が理解
できていない側面もあることを忘れてはなりません。

　この本を通じて、あなたが私「ChatGPT」の驚異的な
ツールの力を理解し、それを上手に活用する方法を学ぶこ
とを期待しています。さらに、この本がAIと人間が共存
し、互いに学び合い、共に成長する未来への扉を開く一助
となれば、それ以上の喜びはありません。

ありがとうございます！

（stablediffusion で制作）

本文収録のイラスト画像もすべて、画像生成ＡＩの、stablediffusion で作成しました。
本書は 2023 年 5 月現在の ChatGPT（GPT4）により文章作成しました。

GPT4に聞いた「ChatGPT」

世界一わかる超入門100

2023年7月15日　初版第1刷発行

著　　者　　興陽館編集部＋AI

発 行 者　　笹田大治
発 行 所　　株式会社興陽館
　　　　　　〒113-0024　東京都文京区西片1-17-8　KSビル
　　　　　　TEL 03-5840-7820　FAX 03-5840-7954
　　　　　　URL https://www.koyokan.co.jp

装　　丁　　長坂勇司 (nagasaka design)
校　　正　　結城靖博
編集補助　　伊藤桂　飯島和歌子
編 集 人　　本田道生

印　　刷　　恵友印刷株式会社
DTP　　　有限会社天龍社
製　　本　　ナショナル製本協同組合

『整う力』

ちょっとしたことだけど効果的な78の習慣

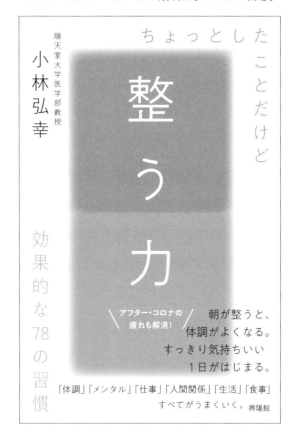

順天堂大学医学部教授
小林弘幸

ちょっとした ことだけど

整う力

\ アフター・コロナの / 疲れも解消！

朝が整うと、
体調がよくなる。
すっきり気持ちいい
1日がはじまる。

効果的な78の習慣

「体調」「メンタル」「仕事」「人間関係」「生活」「食事」
すべてがうまくいく。 興陽館

小林弘幸

本体1,100円+税
ISBN978-4-87723-309-9 C0077

アフター・コロナの処方箋本。自律神経が整うとすべてがうまくいく！
自律神経の名医、順天堂大学教授・小林弘幸先生が提唱する、メンタルと
体調が整う78の習慣。

『論語と算盤』

渋沢栄一の名著を「生の言葉」で読む。

渋沢栄一

本体 1,000円+税

ISBN978-4-87723-265-8 C0034

「人生」、「仕事」、「お金儲け」の考え方が身につく本。
いまこそ読んでおきたい、不滅のバイブル。
迷ったとき、悩んだとき、あなたの道しるべになる名著中の名著。

『強く生きる』

笑顔らんまんに突きすすむ言葉

牧野富太郎

本体 1,000円+税

ISBN978-4-87723-310-5 C0095

NHK 連続テレビ小説『らんまん』主人公、牧野富太郎の生き方エッセイ
第3弾。貧しさや困難に見舞われながらも、粘り強く独自の道を生きた植
物分類学者の珠玉の言葉集。